LA SOUFFRANCE
SANS JOUISSANCE
OU
LE MARTYRE
DE L'AMOUR

D0332699

Du même auteur

Le temps du désir
Seuil, 1969
et coll. « Points Essais », 1997

L'ombilic et la voix
Seuil
coll. « Le champ freudien », 1974

Un parmi d'autres
Seuil
coll. « Le champ freudien », 1978

Le poids du réel, la souffrance
Seuil, 1983

La chair envisagée
Seuil, 1988

L'Autre du désir et le Dieu de la foi
Lire aujourd'hui Thérèse d'Avila
Seuil, 1991

Inceste et jalousie
Seuil, 1995

Se tenir debout et marcher
Du jardin œdipien à la vie en société
Gallimard, 1995

DENIS VASSE

LA SOUFFRANCE
SANS JOUISSANCE
OU
LE MARTYRE
DE L'AMOUR

Thérèse de l'Enfant-Jésus
et de la Sainte-Face

ÉDITIONS DU SEUIL
27 rue Jacob, Paris VI

ISBN 2-02-034552-8

© ÉDITIONS DU SEUIL, MAI 1998

Le Code de la propriété intellectuelle interdit les copies ou reproductions destinées à une utilisation collective. Toute représentation ou reproduction intégrale ou partielle faite par quelque procédé que ce soit, sans le consentement de l'auteur ou de ses ayants cause, est illicite et constitue une contrefaçon sanctionnée par les articles L. 335-2 et suivants du Code de la propriété intellectuelle.

Ton Amour est mon seul martyre
Plus je le sens brûler en moi
et plus mon âme te désire...
Jésus, fais que j'expire
d'Amour pour Toi ! ! !

31 mai 1896
Poésie intitulée
« Le Cantique de sœur Marie
de la Trinité et de la Sainte-Face »
(Œuvres complètes, p. 714)

Mourir d'amour,
Ce n'est pas la peine
que ça paraisse
pourvu que ce soit !

14 juillet 1897
Phrase extraite du « Carnet jaune »
(Œuvres complètes, p. 1043)

« Histoire printanière d'une petite fleur blanche » *

Cela commence par un paradoxe : l'analogie entre le discours de Thérèse et celui du patient en psychanalyse conduit, autorise à utiliser la compréhension psychanalytique pour décrypter le discours de Thérèse et, somme toute, à la considérer elle-même comme une patiente, anorexique ou mélancolique. Et ce, alors qu'il s'agit d'honorer la mémoire de la sainte et de participer au témoignage que l'Église lui rend en la faisant Docteur de l'Église. Alors... Docteur ou malade ?

Pas à pas, nous allons être attirés dans un itinéraire, un chemin spirituel que nous n'avions pas prévu. Ce qui nous paraissait un cas biographique intéressant, celui d'une sainte, va devenir la question de notre humanité ; nous sommes conduits à devenir « Homme » au cœur de nos maladies, de nos symptômes, sur le chemin d'une sainteté à laquelle nous sommes tous appelés. Nous voyons se dessiner peu à peu une anthropologie qui

---

* Le texte de la préface de Jacky Bodelin a été écrit à la suite de la projection du film de Michel Farin sur France 2, produit par le Comité Français de Radio - Télévision pour « Le Jour du Seigneur ».

place la rencontre avec Dieu au plus intime de nous-mêmes, là même où, dans nos histoires, nous étions enfermés dans le plus grand des refus.

Nous nous sentons très proches de cette petite Thérèse qui fut prise, dès le stade précoce, dans les filets de l'ambivalence maternelle, comme retenue par un lien fondé sur le refus de la mort, dans la confusion de l'amour et de la haine, faisant ainsi obstacle à la vie de la génération. Lors des émissions de télévision consacrées à Thérèse, Michel Farin, le réalisateur, disait que ce chemin est celui de toute humanité : « Dans toute histoire, il faut sortir de cette ambiguïté par rapport à la mère. »

Lorsque Denis Vasse s'adresse à nous, il ne parle pas du cas de Thérèse dans une extériorité qui nous exclurait. À travers les propos de Thérèse, Denis Vasse parle de nous, de chacun de nous. Loin de dresser le profil d'une sainte pour qui « tout serait tombé du ciel » et qui aurait échappé par avance aux vicissitudes de la vie, à la souffrance de vivre, le dialogue s'instaure autour de la nécessité d'une grâce de Dieu qui passe par notre expérience et notre histoire, à travers les signifiants de notre histoire. Par exemple, ce lien inconscient entre le nom propre de la nourrice de Thérèse, Rose Taillé, véritable « figure » de l'amour de Dieu – elle sauve de la mort la toute petite fille –, et l'appellation de « petite fleur » – que Thérèse se donne à elle-même – prend alors tout son sens. C'est ce même lien que Denis Vasse établit avec l'évocation de la « pluie de roses » qu'elle appelle de ses vœux sur la terre entière. « Si on enlève le rapport de la pluie de roses à la vie retrouvée chez Rose Taillé dont elle est la petite, ça n'est plus interprétable comme la bénédiction de la vie », dit Denis Vasse ; ça devient une histoire mièvre et gentillette, mais, du coup, nous ne sommes plus concernés !

L'histoire est pourtant loin de correspondre à une histoire de midinette : « La petite fleur a dû passer par l'hiver de l'épreuve », dit-elle d'elle-même.

Thérèse a eu à vivre un long travail de deuil : d'abord celui, difficile, de « celle qui ne s'est pas réjouie de sa propre naissance », une mère pleine du souci, de la peur, marquée par les quatre enfants qu'elle a perdus en bas âge, porteuse, sans nul doute, d'un vœu de mort inconscient. Thérèse s'enferme dans une problématique narcissique dont elle dit elle-même la spirale de l'enfermement : elle pleurait d'avoir pleuré, dans un mécanisme de culpabilité dont nous connaissons bien les ressorts. Deuil, ensuite, de ses sœurs qui lui ont servi de substituts maternels et qui partent tour à tour au couvent.

C'est au cœur de cette impasse que s'accomplit une « complète conversion ». Elle a lieu un jour de Noël – le jour de la naissance du Christ –, qui marque assez qu'il s'agit bien pour elle d'une nouvelle naissance, naissance dont les effets sont mesurables à la découverte en elle d'un profond désir de travailler à la conversion des âmes. Vivre, c'est donner la vie. Libérer la vie des chaînes inconscientes qui l'emprisonnaient, c'est pouvoir enfanter, donner la vie à son tour. Là où il y avait une véritable jouissance à pleurer sur soi-même, la conversion met Thérèse sur le chemin de la soif, soif de travailler à la conversion des pécheurs. Denis Vasse indique à la suite de Thérèse comment nous nous laissons prendre au piège du refus : pour ne pas souffrir, nous refusons précocement l'esprit qui nous fait vivre. Il y a là un refus profond de l'incarnation.

Lors de sa conversion, Thérèse se souvient avec reconnaissance de ces temps difficiles où elle était encore « dans les langes de l'enfance ». Avec reconnaissance, c'est-à-dire sans culpabilité, mais non sans être entraînée sur le chemin de la louange. La conversion – une sortie de ce lieu de fixation infantile – transforme la petite fille qu'elle restait, pour satisfaire imaginairement son entourage, en petit enfant de Dieu qui marche à la suite du Christ. Cela deviendra même son nom à travers l'histoire : ne dit-on pas « la petite Thérèse » ?

Il n'y a pas, d'une part, l'histoire d'une névrose ou d'une anorexie, d'autre part, l'histoire d'une sainteté qui viendrait d'une façon magique dans une destinée. Il y a l'histoire d'un être humain, Thérèse Martin dont la vie est réorientée par une conversion.

C'est bien ce qui se révèle au cœur de l'histoire. Donnons trois points précis à la suite de ce qu'en dit Denis Vasse : la question du père, la transcendance du désir, l'amour.

Ce qu'elle cherche dans son entrée au Carmel, c'est la loi du père. Elle y trouve la loi du Père, celle de Dieu, là où, dans son enfance, le père a réellement fait défaut. M. Martin, son père, n'a probablement pas su empêcher quoi que ce soit, ne permettant pas ainsi à la

petite fille de sortir du nœud dépressif où elle était
– s'était – enfermée. Il n'a pas non plus occupé une
place de vrai témoin : celle justement de témoigner de
l'amour entre la mère et la fille et entre la fille et la
mère. Les rapports familiaux sont « totalement névro-
tiques ». Mais à travers eux se révèle la transcendance
du désir, du désir de Dieu. Cette traversée indique un
mouvement, une attirance qui aspire et conduit
Thérèse vers le Christ. C'est tellement vrai qu'elle peut
même dire les paroles du Christ sur la Croix comme
étant les siennes. Thérèse occupe là une position
« christique ».

Thérèse raconte aussi avec beaucoup de discerne-
ment comment elle s'y prend lorsqu'elle rencontre une
sœur avec laquelle elle se sent peu d'affinité. Ce qu'elle
voit en cette sœur, c'est « Jésus au fond de son âme ».
La lumière surgit du dedans en traversant les sentiments. Il y a la petite Thérèse infantile qui entoure ses
proches de sentiments agrémentés de « chéris » à tout
propos. Et au-delà, il y a ce qui se révèle, ce qu'elle
reconnaît en elle comme en l'autre, l'amour de Dieu,
la transcendance de l'Amour.

« D'avoir vécu une telle histoire et d'en être sortie,
c'est là que réside le pardon de Thérèse », nous dit
Denis Vasse. À partir de là, elle n'annule plus sa souffrance pour pouvoir vivre, elle peut vivre avec cette
souffrance, de cette souffrance qu'elle partage avec le
Christ et par là même avec toute l'humanité. Message
d'espoir et d'amour s'il en est ! Ainsi, à la suite de
Thérèse, nous pouvons espérer le pardon, là même où

la folie de nos histoires nous avait entraînés sur le chemin du refus et de l'isolement.

Faire de l'histoire de Thérèse celle d'une conversion et d'un pardon nous autorise à la prendre comme exemple : elle est bien là, pour nous, Docteur de l'Église. La cantonner, comme on le fait trop souvent, dans l'image d'un personnage exceptionnel qui finalement n'aurait rien connu des souffrances de la vie, c'est la rendre lointaine, inaccessible, c'est nous barrer la voie qu'elle a suivie sur les traces du Christ.

Cette attirance est le mouvement même de la réflexion de Denis Vasse. En ça, la parole de Thérèse redevient vivante pour nous au cœur de notre chair. Ça ne parle pas uniquement d'une autre, mais d'un Autre en nous.

Jacky Bodelin,
12 janvier 1998

La transcendance du désir de Dieu

Lorsque je lis – ou relis – les Manuscrits et la Correspondance de Thérèse, je suis frappé de la dimension *transcendante*[1] du désir qui traverse de part en part cette vie ou ces écrits. Il me semble que, sans ce *désir*, ou sans cette dimension, on ne pourrait les lire que comme l'expression d'une névrose gravissime et qu'on devrait considérer Thérèse comme une malade. Et ce qu'il y a de transcendant dans le désir, c'est bien l'Autre au cœur de l'identité du sujet à soi-même. Cette identité à soi dans la communion avec l'autre est le fondement de la différence vivante. En cette différence, tous les vivants sont créés à l'image de Dieu

---

1. Karl Rahner, *Traité fondamental de la foi*, Paris, Le Centurion, 1983, p. 49 (c'est nous qui soulignons) : « La transcendance proprement dite est d'une certaine façon toujours en deçà de l'homme, dans l'origine, dont il ne saurait disposer, [en deçà] de sa vie et de son connaître. Et cette transcendance proprement dite demeure toujours hors d'atteinte de la réflexion métaphysique ; *sous sa forme pure, c'est-à-dire non médiatisée par l'objectivité, elle ne peut être donnée tout au plus (si tant est qu'elle le puisse) que dans l'expérience de la mystique, peut-être aussi [dans l'expé-*

– *homme et femme il les créa* – en tant qu'il se donne à tous. Ce don de Dieu est la Vie dans son essence même, l'Esprit des origines s'engendrant dans la Chair. Dieu s'engendrant en l'Homme – le Père – et le Fils engendré en Dieu – le Christ – comme l'homme différencié en Dieu, séparé de son origine et de lui-même par le péché et adopté, réconcilié avec Dieu et avec lui-même par la grâce.

Dans une brûlure qui donne à peine le temps d'une histoire, dans la folie d'un amour humain où toutes les places sont apparemment confondues, flambe la folie de l'amour de Dieu en tant qu'il est le *seul* dès le commencement, maintenant et pour toujours. Et ce, dans une *souffrance* qui n'est jamais étalonnée par le *sentiment de souffrir*, plus ou moins grand selon l'attachement à l'objet perdu. La souffrance dont parle Thérèse est *nue, référée à l'impossibilité de parvenir à la présence de celui qui est désiré, à la gloire.* Ce n'est pas le sentiment

<hr />

rience] *de l'ultime solitude et de la disponibilité face à la mort, et cela de façon asymptotique* ; et c'est justement parce qu'une telle expérience originaire de la transcendance – qui est autre que le discours philosophique à son propos – ne peut se réaliser normalement que par la médiation de l'objectivité catégoriale du monde ambiant ou de l'homme lui-même, que cette expérience transcendantale peut facilement échapper au regard. Elle n'est là, jusqu'à un certain point, que comme un ingrédient secret. Mais l'homme est et demeure l'être de la transcendance, c'est-à-dire l'étant auquel l'infinité de la réalité [du Réel], indisponible et silencieuse, se rend durablement présente comme mystère. C'est par là que l'homme est fait pure ouverture à ce mystère, et c'est ainsi qu'il est posé devant lui-même comme personne et sujet. »

de souffrir, ce n'est pas souffrir de souffrir qui donne sa valeur à la souffrance dont parle Thérèse. C'est bien plutôt *souffrir sans avoir le sentiment d'aimer*. Souffrance nue dans laquelle se donne toujours à lire la joie du désir de l'Autre en voie d'accomplissement! La vérité du désir naît et s'accomplit dans l'Autre. Il ne dépend en aucune façon d'un *moi* qui jouirait de lui-même, qui en retirerait des bénéfices secondaires.

> « Oh non! ce n'est pas avec l'intention de jouir du fruit de mes travaux que je voudrais partir, si c'était là mon but je ne sentirais pas cette douce paix qui m'inonde et je souffrirais même de ne pouvoir réaliser ma vocation pour les missions lointaines [2]. »

Ils sont impressionnants, cette chasteté de la souffrance, cet amour de tous (le mot « chéri » est sûrement un de ceux qui reviennent le plus souvent, à l'adresse du plus grand nombre de personnes...) dans l'amour d'un seul, Jésus, et de lui seul en tous. Cette présence aux autres dans l'extrême de la passion indique la chasteté d'un amour qui transcende les relations charnelles. Cet amour en esprit et en vérité de Dieu dans les autres et des autres en Dieu délivre l'humanité de l'amour incestueux et menteur qui

---

2. Thérèse de Lisieux, *Œuvres complètes* (OC), Paris, Cerf, Desclée de Brouwer, 1992, p. 248; *Manuscrits autobiographiques* (MA), Paris, Le Seuil, coll. « Livre de vie », 1957, p. 254. Pour les *Manuscrits*, nous donnons chaque fois la référence à ces deux éditions; pour tous les autres écrits de Thérèse, uniquement aux *Œuvres complètes*.

ferait d'une créature pour une autre créature l'Objet et l'Origine du désir. Il n'y a pas deux amours et c'est l'obéissance à l'Esprit qui délivre l'homme de sa volonté propre pour que la volonté de Dieu se fasse en lui, pour que, comme le dit Jean Tauler, « il apprenne à rester humble en toute circonstance et se laisse trouver », comme la brebis perdue de l'Évangile, « sous les épreuves de toutes sortes », là même où il est et où le bon pasteur le cherche : dans la chair, dans le péché, pour qu'il vive en esprit et en vérité dans la douceur de l'Esprit.

« L'évangile nous dit que le pasteur se mit à la recherche de la brebis. Comment doit-on comprendre cette recherche ? Dieu cherche et veut avoir un homme humble, un homme doux, un homme pauvre, un homme pur, un homme abandonné, qui soit toujours d'humeur égale. Cela ne veut pas dire qu'on doit s'asseoir et se rabattre le capuchon sur la tête. Vraiment non, mes enfants ! mais tu dois laisser Dieu te chercher, t'oppresser et te réduire à rien, jusqu'à ce que tu apprennes à rester humble en toute circonstance, peu importe d'où te vienne et par qui te vienne l'humiliation. Celui qui cherche un objet perdu ne le cherche pas à une seule place, mais en plusieurs endroits, de-ci, de-là, jusqu'à ce qu'il l'ait trouvé. Vois, mon enfant, en vérité c'est ainsi que Dieu doit te chercher de maintes façons différentes. Laisse-toi seulement trouver sous les épreuves de toutes sortes qui t'arrivent de n'importe où et de n'importe qui ; quel que soit l'affront, quelle que soit l'humiliation, reçois-les seulement comme venant de Dieu. C'est lui qui, par là, te cherche.

Il veut avoir un homme doux ; voilà pourquoi tu dois être si souvent et si fortement secoué, afin que, tout à fait broyé par la souffrance, tu apprennes en cela la douceur[3]. »

C'est ainsi que le désir de Dieu, son amour, transcende le mal à la recherche de l'humanité perdue : il traverse les résistances et les refus et atteint le pécheur sans être atteint par le péché. L'homme qui se laisse ainsi chercher et trouver dans la chair devient Fils de Dieu.

---

3. Jean Tauler, *Sermons*, Paris, Cerf, 1991, p. 284-285.

Le désir des vierges : suivre l'Agneau
(Apocalypse 14)

« Je désire être Sainte, mais je sens mon impuissance et je vous demande, ô mon Dieu ! d'être vous-même ma sainteté [4]. »

Lorsqu'on lit à longues goulées les mots et les expressions de Thérèse qui retenaient d'abord négati-

---

4. OC, p. 962 : « *Offrande de moi-même comme Victime d'Holocauste à l'Amour Miséricordieux du Bon Dieu.* [...]
Je désire être Sainte, mais je sens mon impuissance et je vous demande, ô mon Dieu ! d'être vous-même ma Sainteté. »
Ce « *qu'il n'est permis qu'aux vierges de redire* », c'est l'amour de Dieu pour l'humanité pécheresse qui les habite : là est la sainteté de Dieu, c'est d'elle qu'elles vivent. (OC, p. 535, à Léonie, 11 avril 1896)
OC, p. 237 ; MA, p. 240 : « Vous le savez, ma Mère, j'ai toujours désiré d'être une sainte, mais hélas ! [...] au lieu de me décourager, je me suis dit : le Bon Dieu ne saurait inspirer des désirs irréalisables [c'est-à-dire qui ne sont réalisables que par lui], je puis donc, malgré ma petitesse aspirer à la sainteté... »
OC, p. 120 ; MA, p. 86 : « Il me fit comprendre que ma *gloire* à moi ne paraîtrait pas aux yeux des mortels, qu'elle consisterait à devenir une grande *Sainte* !!! »
OC, p. 122 ; MA, p. 89 : « Le moyen d'être *sainte* par la fidélité aux plus petites choses. »
OC, p. 337 (à sœur Agnès, 27 mars 1888) : « Je veux être une sainte. »
OC, p. 346 (à M. Martin, mai-juin 1888) : « Je resterai toujours ta petite reine et je tâcherai de faire ta gloire en devenant une grande sainte. »

vement l'attention comme étant le signe d'une affecti-
vité perturbée, ils ne résonnent plus de la même façon.
Car c'est l'unité du feu trinitaire, l'unité de l'Esprit qui
prend le dessus ou qui *transcende* les différentes relations d'amour de Thérèse.

Ainsi, le 4 septembre 1897, au moment où sœur
Agnès de Jésus sortait de l'infirmerie pour aller au
réfectoire, Thérèse dit dans une formule dont elle a le
secret :

« Je vous *l*'aime. »

Pour elle, en toutes ses relations, il n'y a qu'un seul
amour, alors que, dans la névrose, la confusion qui s'ins-
taure dans l'inceste, c'est le contraire : il n'y a qu'une seule

---

OC, p. 376 (à sa sœur Marthe de Jésus) : « Demandez à Jésus que je
devienne une grande sainte, je demanderai la même grâce pour ma
chère petite compagne ! »
OC, Poésies, p. 685 : « Et bientôt je deviendrai sainte, Vers toi j'attire-
rai les cœurs. »
OC, Récréations pieuses, p. 935 (dialogue de saint Stanislas et saint
François de Borgia) : « C'est parce que je veux devenir un saint... »
OC, Prières, p. 968 :

« Fais que je t R.

```
+------------------+
| (Timbre          |
|  de la           |
|  Sainte Face     |
|  de Tours)       |
+------------------+
```

Jésus !... »

[ce qui signifie]
« Fais que je te Ressemble, Jésus !... »

des relations qui est vraiment l'amour, à l'exclusion de toutes les autres : cet amour-là est jaloux. Il s'ensuit que ce qui, à première lecture, apparaît complètement fou de *confusion*, signifie, dans une seconde lecture, *spirituelle* celle-là, la *folie de l'amour de Dieu* qui est la source et la fin de tout amour vrai. Et c'est pour cela qu'elle peut écrire avec autant de « chéris » et de « chéries », que les sœurs deviennent mères, le père roi et la fille reine, les sœurs épouses d'un unique Bien-Aimé...

Ainsi, entre beaucoup d'autres exemples, elle écrit :

> « Ma chère Léonie,
>
> Ta toute petite Sœur ne peut s'empêcher de venir aussi te dire combien elle t'aime et pense à toi, surtout en ce jour de ta fête. Je n'ai rien à t'offrir, pas même une *image*, mais je me trompe, je t'offrirai demain la divine *Réalité*, Jésus-Hostie, TON ÉPOUX et le mien... Chère petite Sœur, qu'il nous est doux de pouvoir toutes les cinq nommer Jésus "Notre Bien-Aimé" mais que sera-ce lorsque nous le verrons au Ciel et que, partout, nous le suivrons [5], chantant

---

5. Maître Eckhart, *Sermons*, t. 1, Paris, Le Seuil, 1974 (c'est nous qui soulignons) : « J'ai dit un jour : Les vierges *suivent* immédiatement l'Agneau partout où il va. Il y a ici de telles vierges, et d'autres qui ne sont pas ainsi alors qu'elles croient l'être. Les véritables vierges *suivent* l'Agneau partout où il va, dans la souffrance comme dans la joie. Certaines *suivent* l'Agneau dans la douceur ou l'agrément, mais lorsqu'il va dans la souffrance, la peine et la tribulation, elles s'en retournent et ne le *suivent* pas. En vérité, ce ne sont pas de véritables vierges, malgré les apparences. Quelques-unes disent : Seigneur, je vous *suivrai* dans l'honneur, l'abondance et la joie. En vérité, si l'Agneau a vécu et nous a précédés comme il l'a fait, je trouve bon que vous le *suiviez* de la même manière. Les véritables vierges

le même cantique, qu'il n'est permis qu'aux vierges de redire[6]!... »

Seule une virginité sans contrainte, une virginité de désir, d'un désir sans retour sur soi et sans complaisance en lui-même – celui des vierges dont parle l'Apocalypse – peut permettre d'écrire ça. La névrose, elle, n'en est pas capable. À moins qu'elle ne tourne à la perversion : le pervers *dit* bien les mêmes choses, en effet, mais c'est pour trouver sa propre satisfaction dans l'anéantissement d'un amour qu'il est censé accueillir ou susciter. Le pervers ne meurt pas d'amour : il fait

---

suivent l'Agneau par les chemins étroits ou larges et partout où il va » (Sermon 11, p. 118).

6. OC, p. 535 (à Léonie, 11 avril 1896) ; *cf.* également le Sermon 13 (Apocalypse 14, 1-4) de Maître Eckhart, *op. cit.*, p. 126-127 : « Saint Jean vit un Agneau debout sur la montagne de Sion et il portait écrits sur son front son nom et le nom de son Père et il avait près de lui cent quarante-quatre mille. Il dit qu'ils étaient tous vierges et chantaient un chant nouveau que nul autre qu'eux ne pouvait chanter, et suivant l'Agneau partout où il allait. [...] Il dit : "sur la montagne". Comment cela peut-il se faire que l'on parvienne à cette pureté ? Ils étaient vierges et ils étaient en haut sur la montagne, ils étaient fiancés à l'Agneau, soustraits à toutes les créatures et suivant l'Agneau partout où il allait. Certaines gens suivent l'Agneau tout le temps que tout va bien pour eux, mais si les choses ne vont pas selon leur volonté ils repartent. Le sens n'est pas celui-là, car il est dit : "Ils suivent l'Agneau partout où il va." Si tu es vierge, fiancée à l'Agneau, et si tu as renoncé à toutes les créatures, tu suis l'Agneau partout où il va et tu n'es pas désemparée quand tes amis te causent une souffrance, ou que tu t'en causes une à toi-même par quelque tentation. [...] On doit prendre sur soi la souffrance et suivre l'Agneau dans la souffrance comme dans la joie. Les Apôtres prenaient sur eux de la même manière la souffrance et la joie : c'est pourquoi tout ce qu'ils souffraient leur était doux, la mort leur était aussi chère que la vie. »

mourir l'autre et, au besoin, se tue plutôt que de se recevoir ou de se donner à un autre. Pour lui le don est vécu comme une perte, et le désir comme une fuite : c'est la marque qu'il ne s'agit pas du don ou du désir en vérité, c'est la marque du *semblant, la marque de la folie de l'homme,* de son détournement du Réel.

Le retournement de la folie de l'homme en folie de Dieu [7], de la conversion de la chair en esprit, se laisse lire en un point très précis : à la place de la satisfaction pulsionnelle voulue pour elle-même dans la jouissance, c'est la souffrance d'une naissance qui introduit à la joie de la rencontre avec l'Autre dans le largage de soi-même, dans le *don.* C'est pourquoi Thérèse peut encore écrire :

> « Alors nous comprendrons le prix de la souffrance et de l'épreuve, comme Jésus, nous redirons : "Il était véritablement nécessaire que la souffrance nous éprouvât et nous fît parvenir à la gloire."
>
> Ma petite sœur chérie, je ne puis te dire tout ce que mon cœur renferme de pensées profondes qui se rapportent à toi ; la seule chose que je veux te répéter est celle-ci : "Je t'aime mille fois plus tendrement que ne s'aiment des sœurs ordinaires, puisque je puis t'aimer avec le *Cœur* de notre Céleste Époux." C'est en lui que nous vivons de la même vie et que pour l'éternité je resterai
>
> ta toute petite sœur
Thérèse de l'Enfant Jésus
rel. carm. ind [8]. »

---

7. OC, p. 506 (à Céline, 19 août 1894).
8. OC, p. 535 (à Léonie, 11 avril 1896).

Il y a dans cette lettre l'indication d'un lien structural entre la virginité et la souffrance dans l'amour : celui qui est *vierge* ne cherche pas à jouir de son corps pour lui-même, il se réjouit de la vie de l'Autre pour lui-même. Tout ce qui n'est pas cette joie et tout ce qui y met obstacle le fait souffrir.

> « Le chant d'amour... qu'il n'est permis qu'aux *vierges* de redire !... elles le rediront ensemble au Ciel lorsqu'elles verront le Bien-Aimé... et alors elles comprendront le prix de la *souffrance* et de l'épreuve... Comme Jésus elles rediront : "Il était véritablement nécessaire que la souffrance nous éprouvât et nous fît parvenir à la gloire." »

Qu'est-ce qu'une vierge ? La virginité apparaît ici comme la force d'une libido qui ne se laisse pas distraire de son objet, car elle ne cesse de découvrir en lui *tout ce qui la fait vivre*. Dans la foi, l'espérance et la charité, elle vit en lui, avec lui et par lui. Il est l'origine et la fin du désir incarné dans la vierge. Elle ne se satisfait d'aucune jouissance hors de lui, sans lui, par quelqu'un d'autre que lui : la virginité n'est concevable ici que comme la fidélité du plus grand amour, celui qui donne sa vie pour *Celui qu'il aime* et qui est, ici, *Celui qui l'aime*. Celui-là est le Dieu d'Amour qui ne cesse d'engendrer l'Homme Vivant. Et seul l'homme engendré [9] dans la chair virginale – et non pas créé – peut en témoigner. Cet Homme Fils dans la chair est de même

---

9. Maître Eckhart, *op. cit.*, Sermon 10, p. 109-110 : « Le jour de Dieu est celui où l'âme se trouve dans le jour de l'éternité, en un instant

nature que son Père dans l'Esprit. Sa venue dans l'Esprit qui fait vivre la chair en vérité *préserve* la vie engendrée, dès l'origine, du *souffle empoisonné du monde* dès le commencement. La vierge témoigne jusque dans la mort du pur désir de Dieu dans la chair. La virginité n'est pas sans rapport avec le martyre de l'amour. Ce n'est pas parce qu'elle souffre que la vierge vit, enfante et meurt. C'est parce qu'elle aime de l'amour dont elle est aimée : d'un amour où elle n'est pour rien certes, mais qui, sans elle, ne serait pas de Dieu et ne serait pas pour nous ! Ne serait pas pour tous !

> « Jésus a pour nous un amour si incompréhensible qu'Il veut que nous ayons part avec lui au salut des âmes. Il ne veut rien faire sans nous. Le créateur de l'univers attend la prière d'une pauvre petite âme pour sauver les autres âmes rachetées comme elle au prix de tout son sang [10]. »

Il s'ensuit que la vérité de l'amour dont elle vit ne se mesure pas à la jouissance qu'elle pourrait en avoir et qui, selon ses sens dans le monde, en serait la preuve et la garantie. L'esprit du monde voudrait que l'homme

---

essentiel, et là le Père engendre son Fils unique en un instant actuel, et l'âme renaît en Dieu. Chaque fois que cette naissance a lieu, chaque fois elle engendre le Fils unique. C'est pourquoi il y a beaucoup plus de fils que les vierges enfantent que de fils enfantés par les femmes, car celles-là enfantent au delà du temps, dans l'éternité. Quel que soit le nombre que l'âme enfante dans l'éternité, il n'y a cependant pas plus d'un Fils, car cela se passe au delà du temps, dans le jour de l'éternité. »

10. OC, p. 449 (à Céline, 15 août 1892).

mesure l'amour (de Dieu) à la dimension du ressenti de la jouissance[11] charnelle : qu'elle soit, cette jouissance, ressentie comme le plaisir extrême de se sentir avec lui ou, au contraire, comme le déplaisir extrême d'en être séparé. Consentir à ne pas *payer en nature* – et en nature humaine – quand il s'agit de l'amour d'un Dieu qui se donne en esprit et en vérité à ceux qui lui plaisent et qu'il attire à lui, c'est ne pas chercher ou demander de preuve autre à l'amour que celle d'en vivre. Ou, plus simplement encore, *de* vivre. Vivre, en effet, c'est Dieu. Chercher ailleurs qu'en lui la vie, et le chercher ailleurs que dans la vie, c'est ne pas témoigner de l'Amour qu'il est et dont *je* témoigne quand je parle en vérité. Et ce, que je vive ou que je meure, quoi que je ressente. Cela ne veut pas dire que je refuse de jouir du plaisir de la rencontre quand elle a lieu ou de souffrir du déplaisir de la séparation quand elle a lieu ; cela veut dire que ce n'est pas ma jouissance propre (positive ou négative) qui en est la marque, mais sa joie qui se révèle en esprit et en vérité, en moi comme en son Fils. Vivre ainsi de l'Esprit de Dieu, c'est, dans le monde, être *pardonné d'avance*[12], être préservé du péché, être attiré dans les flammes de l'Amour[13]. Et

---

11. Plaisir extrême né de la possession de quelque chose ou de quelqu'un ou de son usage (avoir jouissance d'un bien).
12. OC, p. 131 ; MA, p. 101 : « Je sais aussi que Jésus m'a *plus remis* qu'à Ste Madeleine, puisqu'il m'a remis *d'avance*, m'empêchant de tomber. »
13. OC, p. 284 ; MA, p. 300.

cela ne saurait être la conséquence d'une volonté propre, vertueuse, « héroïque » : car dans cette volonté, se reconnaît l'humanité dont parle saint Paul, « l'humanité élue *dans le Christ, dès avant la fondation du monde,* pour que nous soyons saints et immaculés en sa présence, dans l'amour, déterminant *d'avance* que nous serions pour lui des fils adoptifs par Jésus-Christ » (Éphésiens 1, 4-5).

> « C'est Lui qui l'a fait naître en une terre sainte et comme tout imprégnée d'un *parfum virginal.* Dans Son amour, *il a voulu* préserver sa petite fleur du souffle empoisonné du monde, à peine sa corolle commençait-elle à s'entrouvrir que ce Divin Sauveur l'a transplantée sur la montagne du Carmel où déjà les deux Lys qui l'avaient entourée et doucement bercée au printemps de sa vie répandaient leur suave parfum [...] Sept années se sont écoulées depuis que la petite fleur a pris racine dans le jardin de l'Époux des vierges [14]... »

Thérèse ne désire pas la souffrance pour elle-même, mais parce qu'elle ne vit que de croire en un véritable amour [15], un amour qui n'est pas attesté, lui, par ce qu'elle ressent, mais *par un désir dont l'Objet-Autre n'est*

---

14. OC, p. 74 ; MA, p. 23. « Souvent j'entendais dire que bien sûr Pauline serait *religieuse,* alors sans trop savoir ce que c'était, je pensais : *Moi* aussi *je serai religieuse.* C'est là un de [mes] premiers souvenirs et, depuis, jamais je n'ai changé de résolution ! [...] Je voulais être semblable à vous et c'est votre exemple qui dès l'âge de deux ans m'entraîna vers l'Époux des vierges... » (OC, p. 77 ; MA, p. 29-30)
15. OC, p. 127 ; MA, p. 95-96.

pas atteint par la souffrance et la mort de la chair puisqu'il est Lui-même la Joie et la Vie, l'Amour du Bon Dieu se révélant dans la joie de la chair à laquelle il s'unit en mourant de sa mort, dans la communion avec elle. Tel est le parfum de l'Esprit qui fait vivre la vierge. Il ne se respire pas dans le souffle empoisonné du monde qui fait mourir le pécheur quand il jouit de sa propre souffrance... voire de son amour-propre.

Un seul amour

Cette problématique du surgissement du sujet au cœur de la rencontre avec l'autre dans un rapport à l'Autre, ce surgissement d'un sujet-Autre, à l'entrecroisement de la pulsion qui renonce à réduire l'autre à l'objet de sa satisfaction propre *et* du désir qui trouve en l'Autre – médiatisé par l'autre – son origine et sa fin..., cet entrecroisement où se réactive sans cesse le don de l'origine (l'engendrement) est le mouvement même de l'Amour en tant que tel, le mouvement du Dieu-Amour. La souffrance de la perte de soi y est la marque du don libre de soi-même, du don de la Vie dans la joie. La marque de cet Amour Réel n'est ni dans le sensible, ni dans la compréhension... Elle se trouve dans un corps qui meurt de l'amour dont il souffre : l'amour de l'Autre transcende tout amour de l'autre et l'amour de Dieu habite tout amour de l'homme en vérité. *« L'Esprit en personne se joint à notre esprit pour attester que nous sommes enfants de Dieu [...] puisque nous souffrons avec le Christ pour être glorifiés avec lui »*, dit St Paul dans l'Épitre aux Romains que Thérèse cite dans le manuscrit C.

C'est avec une grande sûreté qu'elle cite l'Écriture : non pas manière d'intellectuelle qui se cache ou s'estime derrière les mots qui ne sont pas d'elle, mais expression d'une vie qui trouve sa source dans la Vérité qui parle en elle et dans les autres.

« Jésus m'a fait la grâce de n'être pas plus attachée aux biens de l'esprit et du cœur qu'à ceux de la terre. S'il m'arrive de penser et de dire une chose qui plaise à mes sœurs, je trouve tout naturel qu'elles s'en emparent comme d'un bien à elles. Cette pensée appartient à l'Esprit Saint et non à moi puisque St Paul dit [Rm 8,15] que nous ne pouvons sans cet Esprit d'Amour donner le nom de "Père" à notre Père qui est dans les Cieux. Il est donc bien libre de se servir de moi pour donner une bonne pensée à une âme ; si je croyais que cette pensée m'appartient je serais comme "L'âne portant les reliques" qui croyait que les hommages rendus aux Saints s'adressaient à lui[16]. »

Dans une lettre à sœur Marie de la Trinité du 7 mai 1896, Thérèse indique comment c'est par et dans l'abandon à la souffrance et au mépris de soi que l'amour, la vie et la joie se laissent reconnaître comme venant de Dieu et de Dieu seul. Pas de nous. Pas d'elle.

Au recto, elle écrit :

« Par Amour, souffrir et être méprisée. »

Et au verso :

« Pensées de N. P. St Jean de la Croix.
Quand l'amour que l'on porte à la créature est une affection

16. OC, p. 260 ; MA, p. 270.

29

toute spirituelle et fondée sur Dieu seul, à mesure qu'elle croît, l'amour de Dieu croît aussi dans notre âme ; plus alors le cœur se souvient du prochain, plus il se souvient aussi de Dieu et le désire, ces deux amours croissant à l'envi l'un de l'autre.

Celui qui aime vraiment Dieu regarde comme un gain et une récompense de perdre toute chose et de se perdre encore lui-même pour Dieu. [...]
Au soir de cette vie, on vous examinera sur l'amour. Apprenez donc à aimer Dieu comme il veut être aimé et laissez-vous vous-même [17]. »

Cet unique amour traverse et ordonne la pâte humaine de la petite Thérèse. Il la fait vivre au milieu de la multiplicité en la préservant de la feinte et de l'obliquité du désir. Celui qui est l'objet du désir qui l'habite va la délivrer de l'orgueil du péché dont tout homme est porteur, en la guérissant de sa névrose sans même qu'elle le sache : il l'empêche de tomber en lui remettant d'avance [18].

---

17. OC, p. 536-537 (à sœur Marie de La Trinité, 7 mai 1896).
18. OC, p. 131 ; MA, p. 101.

Comment un cœur
livré à l'affection des créatures
peut-il s'unir intimement à Dieu ?

C'est dans la névrose – comme chacun d'entre nous – que Thérèse va faire l'expérience de sa faiblesse. Mais elle n'a pas à être délivrée de la *fausse lumière* de nos objets pulsionnels... pour revenir vers *la vraie, la douce lumière de l'amour,* car elle n'a pas été exposée *à la trompeuse lumière.* Elle est trop faible.

« Peut-être me serais-je laissée brûler tout entière par la *trompeuse lumière* si je l'avais vue briller à mes yeux [19]. »

Pour elle, *il n'en a pas été ainsi, elle n'a rencontré qu'amertume là où des âmes plus fortes rencontrent la joie* – j'écrirais plus volontiers ici le mot *jouissance* – *et s'en détachent par fidélité* :

« Je n'ai donc aucun mérite à ne m'être pas livrée à l'amour des créatures, puisque je n'en fus préservée que par la grande miséricorde du Bon Dieu. »

---

19. OC, p. 130-131 ; MA, p. 100-101 (*ibid.* pour les citations qui suivent).

Là où nos pulsions sont marquées de l'interdit qui oriente le désir du sujet vers l'origine, la sensibilité de Thérèse fait l'expérience de l'amertume. Elle ne réussit pas à s'identifier imaginairement à l'objet convoité. Il n'est pas nécessaire, pour ainsi dire, de lui interdire l'affection qui lui est refusée et l'amertume éprouvée la préserve de s'y laisser prendre :

> « Mon amour n'était pas compris, je le sentis et je ne *mendiai* pas une affection qu'on me refusait, mais le Bon Dieu m'a donné un cœur si fidèle que lorsqu'il a aimé purement il aime toujours, aussi je continuai de prier pour ma compagne et je l'aime encore... En voyant Céline *aimer* une de nos maîtresses, je voulus l'imiter, mais ne *sachant* pas gagner les bonnes grâces des créatures je ne pus y réussir. Oh heureuse ignorance ! qu'elle m'a évité de grands maux !... »

C'est bien là la fonction de l'interdit de l'inceste et de tout interdit édicté en vue de la réalisation de la promesse :

> « Combien je remercie Jésus de ne m'avoir fait trouver qu'amertume dans les amitiés de la terre ! avec un cœur comme le mien, je me serais laissée prendre et couper les ailes, alors comment aurais-je pu "voler et me reposer" ? »

Thérèse se serait laissée prendre au jeu de la pulsion avide et dévorante, elle n'aurait pu prendre les ailes du désir, celles de l'Aigle, elle n'aurait pu voler ni se reposer en Celui qui l'attire.

Heureuse ignorance ! Thérèse n'a ni su ni pu séduire en s'identifiant à l'objet d'amour de l'autre. Dès la naissance, il lui a été donné d'être séparée de l'amour amer d'une mère aux prises avec la peur et/ou le désir de voir disparaître son objet, son enfant. L'anorexie infantile de Thérèse et l'éloignement qui en a résulté ont délivré l'enfant de l'angoisse d'une mère en deuil. Tout petit vient à se laisser prendre dans le regard douloureux ou joyeux de sa mère : il sent ce que sent sa mère, et le *père* a la charge et la fonction de l'en délivrer en lui interdisant de s'y laisser prendre. La loi qui structure l'homme, le « parlêtre », trouve sa source dans l'interdit de l'inceste. Dès le début, *l'identification imaginaire à l'objet* est interdite. En déviant la pulsion du *moi* infantile de l'enfouissement dans l'objet de sa satisfaction pulsionnelle, celui qui articule la loi, le père, autorise le surgissement du désir de l'origine qui ordonne la structure de l'homme à l'Esprit qui le fait vivre. Alors il devient ce qu'il est depuis toujours, il se reconnaît dans l'autre – auquel il parle sans le consommer – *sujet* de la loi [20], vivant comme lui de la Parole de Dieu. *Là où il s'identifie à l'Autre,* en répondant à un désir qui brûle sans consumer ni l'un ni l'autre, il témoigne d'un Amour unique, originaire, qui se donne à chacun et à tous dans leur différence même. Comment, s'il en est autrement, un cœur *livré à l'affection des créatures peut-il s'unir intimement à Dieu ?* Comment peut-il aimer en esprit et en vérité, devenir Dieu, être l'Amour ?

---

20. Genèse 2, 21-25.

Dès le début Thérèse fait – sans le savoir, *inconsciemment* – l'expérience que *le réel de l'amour est impossible* entre les créatures. Il n'est possible véritablement qu'en Dieu. Seul le cœur livré à Dieu aime. Le cœur livré à la créature n'aime pas vraiment. Il n'y a pas deux amours !

> « Je sens que cela n'est pas possible. Sans avoir bu à la coupe empoisonnée de l'amour trop ardent des créatures, *je sens* que je ne puis me tromper, j'ai vu tant d'âmes séduites par cette *fausse lumière*, voler comme de pauvres papillons et se brûler les ailes [21]. »

Dès le commencement, pourrait-on dire, il lui est interdit d'aimer en se laissant transformer ou en transformant l'autre en objet de satisfaction pulsionnelle : dès le début elle aime l'autre pour lui-même et non pour la satisfaction amère qu'elle en retire ou qu'il est censé retirer d'elle [22] !

Pour entrer plus avant dans ce que nous tentons de dire, il ne faut pas oublier que M. et Mme Martin ont eu neuf enfants dont trois sont morts en bas âge : Joseph-Louis meurt en février 1867, à six mois, Joseph-Jean-Baptiste, en août 1868, à huit mois, Mélanie-Thérèse à deux mois en octobre 1870. La troisième enfant, Hélène, meurt à un peu plus de cinq ans, en février 1870.

---

21. OC, p. 130-131 ; MA, p. 100.
22. OC, p. 130-132 ; MA, p. 99-102. Il faut les lire absolument.

Marie-Françoise-Thérèse, la dernière, naît en janvier 1873, quatre années après Céline.

Sa mère est une femme marquée par la mort en série de ses enfants, et la crainte que le nouveau-né ne suive le même chemin ne peut pas ne pas être inscrite dans sa chair et dans ses yeux [23]. Elle a peur, et la peur n'est pas accueillante.

Et d'abord, lorsque Thérèse naît, c'est un garçon que sa mère de quarante et un ans attend. Elle écrit le 3 janvier 1873 :

> « Je suis très contente. Cependant, au premier moment, j'ai été très surprise, car je m'attendais à avoir un garçon [24] ! »

Ensuite, c'est le nom de la petite fille morte qu'elle lui donne.

> « Cette enfant s'appelle Thérèse, comme ma petite dernière [25]. »

Sa relation à Thérèse est donc marquée par l'ambivalence, par la peur et/ou le désir de la mort. Dès la

---

23. Zélie Martin, *Correspondance familiale, 1863-1877,* Office central de Lisieux, 1958, p. 142-143 : « Je suis tout à fait rétablie maintenant, la petite va bien aussi, elle promet d'être très forte, mais cependant, je n'ose y compter, j'ai toujours peur de l'entérite. » (16 janvier 1873) « Je me tourmente extrêmement au sujet de ma petite Thérèse. J'ai peur qu'elle ait une maladie d'intestins, je remarque les mêmes symptômes alarmants que chez mes autres enfants qui sont morts. *Faudra-t-il encore perdre celle-là ?* » (17 janvier 1873)
24. *Id.,* p. 141.
25. *Id.,* p. 143.

gestation, le *tourment*, la *peur*, l'*angoisse* de la mère, de celle qui porte, sont partagés avec celle qui est portée, l'enfant enroulée dans le ventre de sa mère. Ce qui est vrai de la joie et du chant dans la communication entre la mère et la fille l'est aussi et nécessairement de l'angoisse et de la peur. Dans un passage qui n'aurait pas étonné Françoise Dolto, que l'haptonomie contemporaine ne renierait pas et qui évoque la rencontre de Marie avec Élisabeth dans l'Évangile de Luc, Zélie Martin écrit le 16 janvier 1873 :

> « Tous me disent qu'elle est belle, elle sourit déjà. Je m'en suis aperçue pour la première fois mardi. J'ai cru que je me trompais, mais hier, le doute n'était plus possible ; elle m'a regardée bien attentivement, puis elle m'a fait un sourire délicieux.
> *Pendant que je la portais, j'ai remarqué une chose qui n'est jamais arrivée pour mes autres enfants : lorsque je chantais, elle chantait avec moi. [...] Je vous le confie à vous, personne ne pourrait y croire* [26]. »

Ces contacts intra-utérins et ceux des premiers jours avec le bébé restent sous l'emprise de la mort qui va jusqu'à faire dépendre la vie de Thérèse d'un éventuel changement de nom, après sa naissance. Qu'on l'appelle Françoise en l'honneur de saint François de Sales, et elle vivra. Sinon, qu'on prépare le cercueil ! Toute la lettre du 1er mars 1873 que Mme Martin écrit

---

26. *Id.*, p. 143.

à son frère traite de la mort anticipée de Thérèse et de l'éventualité de changer son nom, partagée qu'elle est, *jusqu'à en perdre la tête*, entre la culpabilité de ne pas consentir à ratifier le vœu de sa sœur, religieuse visitandine au Mans, et de voir mourir sa fille, et celle de consentir à le faire et de la voir vivre ! Cette lettre mérite d'être citée largement (c'est nous qui en soulignons certains passages) :

« Depuis que tu es parti d'Alençon, ma petite Thérèse s'est parfaitement portée. Elle se fortifiait à vue d'œil et j'en étais fière. Mais aujourd'hui, les choses ont complètement changé, *elle est très mal et je n'ai pas du tout d'espoir de la sauver.* Cette pauvre petite souffre horriblement, depuis hier, cela fend le cœur de la voir. *Cependant, elle dort bien* ; la nuit dernière je l'ai levée une seule fois, elle a bu et a dormi ensuite jusqu'à ce matin dix heures. Mais à présent, en voilà jusqu'à dix heures ce soir.

Le médecin sort d'ici. *Je ne sais pas pourquoi, je n'ai pas grande confiance en ses remèdes.*

Il faut maintenant que je te raconte une histoire, elle date de la première maladie de la petite. Le soir où tu es arrivé, je venais de mettre à la poste une lettre pour ma sœur du Mans, dans laquelle *j'annonçais que la petite Thérèse était mourante, qu'elle n'avait plus que deux jours à vivre.*

Voilà ma sœur qui se met à prier saint François de Sales avec une ferveur extraordinaire et qui fait vœu, si l'enfant guérit, qu'on l'appellera de son second nom, Françoise. Le vœu fait, elle va trouver Marie et Pauline qui étaient bien désolées et leur dit : "Ne pleurez plus, votre petite sœur ne mourra pas." Et elle leur annonça ce qu'elle venait de faire. La supérieure ajouta : "Il faut écrire à votre sœur, de suite, afin qu'elle commence à l'appeler Françoise."

Quand j'ai reçu la fameuse lettre, j'en suis restée boule-versée. Ma sœur me disait qu'elle avait fait ce vœu pen-sant bien que je le ratifierais, qu'elle avait dit à saint François que si je ne consentais pas à appeler l'enfant de son nom, il était libre de la reprendre et, en ce cas, ajou-tait-elle, *je n'avais qu'à faire faire un cercueil.* [...] Déjà, avant que l'enfant ne soit née, elle (ma sœur) m'avait écrit, croyant que ce serait un garçon, pour que je ne lui donne pas le nom de Joseph, mais de François, comme si elle soupçonnait le bon saint Joseph de m'avoir *pris mes enfants.* Je lui ai répondu qu'il en mourrait ou n'en mourrait pas, mais qu'il s'appellerait Joseph. Cependant je te confierai *qu'il m'est resté une inquiétude vague de "ce cercueil qu'il fallait lui faire faire, si je ne voulais pas consentir au vœu de ma sœur".* Je t'en prie, écris-moi poste pour poste, car si tu tardes, *ma petite Thérèse sera pro-bablement morte.* J'aime mieux l'appeler Françoise ou n'importe comment et ne pas faire de cercueil, cela me fait frémir rien que d'y penser! Tu m'écriras une longue lettre et tu me diras comment il faut l'appeler pour qu'elle ne meure pas. *Si quelqu'un voyait cette lettre, il croirait que j'ai perdu la tête!* [...] Souvent je pense aux mères qui ont la joie de nourrir elles-mêmes leurs enfants ; et *moi, il faut que je les voie mourir les uns après les autres* [27] ! »

Thérèse relèvera très justement, dans la correspon-dance de sa mère, comment leurs échanges, sous les apparences d'un amour maternel ou filial qui dénie toute violence, voire toute haine, tourne autour de la

---

27. *Id.*, p. 144-146.

crainte de la mort. Rien d'étonnant par conséquent si Thérèse ne peut pas quitter sa mère en même temps qu'elle lui souhaite la mort :

> « Les moyens que j'employais [pour témoigner ma tendresse] étaient parfois étranges, comme le prouve ce passage d'une lettre de Maman – "Le bébé est un lutin sans pareil, elle vient me caresser en me souhaitant la mort : – "Oh ! que je voudrais bien que tu mourrais, ma pauvre petite Mère !..." on la gronde, elle dit : "C'est pourtant pour que tu ailles au Ciel puisque tu dis qu'il faut mourir pour y aller." Elle souhaite de même la mort à son père quand elle est dans ses excès d'amour !" »

Plus loin, elle cite encore Mme Martin :

> « Il m'est arrivé une drôle d'aventure dernièrement avec la petite. J'ai l'habitude d'aller à la messe de 5 h 1/2, dans les premiers jours je n'osais pas la laisser, mais voyant qu'elle ne se réveillait jamais j'ai fini par me décider à la quitter. Je la couche dans mon lit et j'approche le berceau si près qu'il est impossible qu'elle tombe, un jour j'ai oublié de mettre le berceau. J'arrive et la petite n'était plus dans mon lit, au même moment j'entends un cri [...]. J'ai remercié le Bon Dieu de ce qu'il ne lui est rien arrivé, c'est vraiment providentiel, elle devait rouler par terre, son bon Ange y a veillé et les âmes du purgatoire auxquelles je fais tous les jours une prière pour la petite l'ont protégée, voilà comment j'arrange cela... arrangez-le comme vous voudrez [28] !... »

---

28. OC, p. 75 et 76 ; MA, p. 26-28.

Très vite la petite Thérèse avait refusé de téter : à l'âge de deux mois, elle ne veut plus du sein de sa mère. Elle est « très mal [29] ». Aussi est-elle confiée à une nourrice. À l'arrivée de la jeune femme, lorsqu'elle prend le sein pour la première fois, Thérèse tète avec une telle avidité qu'à la fin, elle s'écroule, rassasiée, dans le creux de son épaule. Mme Martin, *pensant qu'elle est morte*, se précipite dans la chambre, à l'étage supérieur, pour prier saint Joseph [30]. Thérèse sortira vite de son anorexie. Elle va profiter d'une année ensoleillée, à la ferme. Cette femme qui la sauve s'appelle *Rosalie Taillé*, à Sémallé où elle réside on l'appelle « la petite Rose ».

---

29. « Chronologie de Thérèse », OC, p. 1479.

30. Zélie Martin, *op. cit.*, p. 149-150 et 152 (c'est nous qui soulignons) : « Thérèse ne voulait presque pas boire ; tous les indices les plus graves qui ont précédé la mort de mes autres petits anges se manifestaient et j'étais bien triste, persuadée que la pauvre chérie ne pouvait plus recevoir de moi aucun secours, dans l'état d'épuisement où elle se trouvait. Je suis donc partie dès le point du jour, vers la nourrice qui demeure à Sémallé, situé à près de deux lieues d'Alençon. Mon mari était absent et je ne voulais confier à personne le succès de ma démarche. J'ai rencontré dans un chemin désert deux hommes qui m'inspiraient une certaine frayeur, mais je me disais : "Lors même qu'ils me tueraient, cela ne me ferait rien." *J'avais la mort dans l'âme.*
Enfin, je suis arrivée chez la nourrice et je lui ai demandé si elle voulait venir avec moi pour habiter chez nous tout à fait. Elle m'a dit qu'elle ne pouvait laisser ses enfants et sa maison, qu'elle resterait huit jours, puis emmènerait la petite. J'ai consenti, sachant que mon enfant serait très bien chez elle.
Au bout d'une demi-heure, nous partions ensemble toutes les deux ; nous sommes arrivées à dix heures et demie. La bonne nous dit : "Je n'ai pas pu la faire boire, elle ne veut rien prendre." La nourrice regarda l'enfant en secouant la tête, d'un air qui semblait dire : *"J'ai fait une course inutile !"*

Quand elle la ramène périodiquement chez ses parents, Thérèse ne fait pas grand cas de sa mère et de son univers [31]. C'est auprès de sa nourrice qu'elle trouve réconfort et réassurance et déjà auprès de Marie, d'abord, de Pauline et de Céline, ensuite, qu'elle se *refait*. Ce comportement n'échappe pas à Mme Martin comme en témoignent les lettres des 5, 22, 29 mai et du 20 juillet. Dans celle du 30 novembre 1873, il est même question d'un stratagème pour tenter de prouver qu'il n'en est pas toujours ainsi.

Moi, je suis vite montée dans ma chambre, je me suis agenouillée aux pieds de saint Joseph et lui ai demandé en grâce que la petite guérisse, tout en me résignant à la volonté du Bon Dieu, s'il voulait la prendre avec lui. Je ne pleure pas souvent, mais mes larmes coulaient tandis que je faisais cette prière.
Je ne savais pas si je devais descendre [...] enfin, je m'y suis décidée. Et, qu'est-ce que je vois ? L'enfant qui tétait de tout son cœur. Elle n'a lâché prise que vers une heure de l'après-midi ; elle a rejeté quelques gorgées et est *tombée comme morte* sur sa nourrice.
Nous étions cinq autour d'elle. Tous étaient saisis ; il y avait une ouvrière qui pleurait, moi, je sentais mon sang qui se glaçait. *La petite n'avait aucun souffle apparent.* On avait beau se pencher pour essayer de découvrir un signe de vie, on ne voyait rien, mais elle était si calme, si paisible, que *je remerciais de l'avoir fait mourir si doucement.*
Enfin, un quart d'heure se passe, ma petite Thérèse ouvre les yeux et se met à sourire. » (mars 1873)
« Aujourd'hui, elle va mieux, mais j'ai des craintes sérieuses, je crois que nous ne pourrons pas l'élever. Mon premier petit garçon était comme cela, il venait très bien, mais il avait une entérite tenace dont il n'a pu prendre le dessus. »
31. Pierre Descouvemont et Helmuth Nils Loose, *Thérèse et Lisieux*, Novalis-Cerf, 1991, p. 22 : « Bientôt, elle prend pension chez sa nourrice : elle y reste un an. Année décisive pour la formation de son "imaginaire". Les odeurs de l'étable et des foins coupés, les bruits de la volaille qui caquette, du coq qui chante et de la vache qui meugle, tout cela va s'incruster dans la mémoire de l'enfant. Avec

« J'ai vu Thérèse, jeudi, malgré le mauvais temps, et elle a été plus sage que la dernière fois. Cependant, Louise [l'employée de maison] n'était pas contente, la petite ne voulait ni la regarder, ni aller avec elle, j'étais bien ennuyée ; il me venait des ouvrières, à chaque instant, je la donnais à l'une et à l'autre. *Elle voulait bien les voir, même plus volontiers que moi, et les embrassait à plusieurs reprises.* Des femmes de la campagne, habillées comme sa nourrice, voilà le monde qu'il lui faut ! Mme T. est arrivée pendant qu'une ouvrière la tenait. Dès que je l'ai vue, je lui ai dit : "Voyons si le bébé va vouloir aller à vous." Elle, toute surprise, me répond : "Pourquoi pas ? – Eh bien, essayez !..." Elle a tendu ses bras à la petite, mais celle-ci s'est cachée en poussant des cris, comme si on l'avait brûlée. Elle ne voulait même pas que Mme T. la regarde. On a beaucoup ri de cela ; enfin, elle a peur des gens habillés à la mode ! »

Quand elle rentre définitivement chez les Martin, le 11 mars 1874, la petite Thérèse a quatorze mois. Elle est forte, belle, brunie par le soleil. Elle marche seule. Et, à seize mois, elle dit à peu près tout. À vingt-trois mois, « elle fait sa prière comme un petit ange... et chante de petites chansons ». Et à la fin de sa deuxième année, elle sait presque toutes ses lettres et elle pense : « *Moi* aussi *je serai religieuse* [32]. »

---

quelle joie se laisse-t-elle brouetter par sa nourrice, montée sur des faix d'herbes ! Chaque jeudi la petite Rose se rend au marché d'Alençon vendre beurre, œufs, légumes et le lait de la Roussette, son unique vache. Ce jour-là, Mme Martin est tout heureuse de revoir son bébé et d'admirer ses progrès, mais la petite Thérèse n'apprécie guère les toilettes et les chapeaux des clientes de sa mère. Elle préfère manifestement la tenue campagnarde de sa nourrice. »
32. OC, p. 77 ; MA, p. 29.

Le psychanalyste aura vite repéré que les *signifiants* « rose » et « fleur », celui de « soleil » aussi, sont ceux qui, dans le langage et dans les actes de Thérèse, représentent le sujet de la Vie en tant qu'elle se donne largement, constamment, et qu'elle est reçue dans la joie et le partage. Thérèse a reçu et va donner *la vie en Rose*. La rose et, qui plus est, la rose effeuillée, taillée, offerte, répandue en pluie sur la terre depuis le ciel est signe d'amour et de bénédiction. Et c'est une rose qu'elle ne voudra pas recevoir de sa mère, le 20 mai 1876, sous prétexte que « c'est à Marie... ». Ne convient-il pas d'entendre que « c'est à Marie... » de la lui donner[33] ? Les pétales de rose feront partie de ces « rien », de ces petits sacrifices jetés dans le feu de l'amour. Nous y reviendrons.

> « Oui mon Bien-Aimé, voilà comment se consumera ma vie... Je n'ai d'autre moyen de te prouver mon amour, que de jeter des fleurs, c'est-à-dire de ne laisser échapper aucun petit sacrifice, aucun regard, aucune parole, de profiter de toutes les petites choses et de les faire par amour... Je veux souffrir par amour et même jouir par amour, ainsi je jetterai des fleurs devant ton trône, je n'en rencontrerai pas une sans *l'effeuiller* pour toi... puis en

---

33. Zélie Martin, *op. cit.*, p. 294 : « Marie aime beaucoup sa petite sœur, elle la trouve bien mignonne, elle serait bien difficile, car cette pauvre petite a grand-peur de lui faire de la peine. Hier j'ai voulu lui donner une rose sachant que cela la rend heureuse, mais elle s'est mise à me supplier de ne pas la couper, Marie l'avait défendu, elle était rouge d'émotion, malgré cela je lui en ai donné deux, elle n'osait plus paraître à la maison. J'avais beau lui dire que les roses étaient à moi, "mais non, disait-elle, c'est à Marie..." C'est une enfant qui s'émotionne facilement. »

jetant mes fleurs je chanterai, (pourrait-on pleurer en faisant une aussi joyeuse action ?), je chanterai, même lorqu'il me faudra cueillir mes fleurs au milieu des épines et mon chant sera d'autant plus mélodieux que les épines seront longues et piquantes [34]. »

Selon Thérèse elle-même, la mort de sa mère, en 1877 (elle l'abandonne pour la deuxième fois !), ouvre la « seconde période [35] » de son existence, la plus douloureuse des trois. Mais à la mort de Mme Martin succède l'entrée au Carmel de celle qu'elle avait choisie pour sa seconde « maman », sa sœur Pauline, au *lendemain* des funérailles de la première. Une si rapide substitution dit assez l'impossibilité de faire le deuil.

De plus, l'entrée au Carmel de Pauline en 1882, Thérèse l'apprendra par surprise comme un enfant apprend une mort qu'on lui a cachée. C'est alors « comme si un glaive s'était enfoncé dans mon cœur [36] ». Et la séparation, cette fois-ci, se redoublera d'une apparente désaffection de Pauline, induite par la rigueur du Carmel et la convention familiale que la petite fille de Pauline ne comprend pas... car « *c'est elle qui, auparavant, recevait toutes mes confidences intimes, qui éclaircissait mes doutes... [qui], mettant à ma portée les plus sublimes secrets, savait donner à mon âme la nourriture qui lui était nécessaire* ».

---

34. OC, p. 228 ; MA, p. 229.
35. OC, p. 89 ; MA, p. 46 : « Cette période s'étend depuis l'âge de 4 ans et demi jusqu'à celui de ma quatorzième année, époque où je retrouvai mon caractère *d'enfant* tout en entrant dans le sérieux de la vie. »
36. OC, p. 109 ; MA, p. 72.

« Je vois encore la place où je reçus le dernier baiser de *Pauline*, ensuite ma Tante nous emmena tous à la messe pendant que Papa allait à la montagne du Carmel offrir son *premier sacrifice*... Toute la famille était en larmes [messe d'enterrement !...] en sorte que nous voyant entrer dans l'église les personnes nous regardaient avec étonnement, mais cela m'était bien égal et ne m'empêchait pas de pleurer, je crois que si tout avait croulé autour de moi je n'y aurais fait aucune attention, je regardais le beau Ciel bleu et je m'étonnais que le Soleil puisse luire avec autant d'éclat, alors que mon âme était inondée de tristesse !... Peut-être, ma Mère chérie, trouvez-vous que j'exagère la peine que j'ai ressentie ?... Je me rends bien compte qu'elle n'aurait pas dû être aussi grande puisque j'avais l'espoir de vous retrouver au Carmel, mais mon âme était LOIN d'être *mûrie*, je devais passer par bien des creusets avant d'atteindre le terme tant désiré...

Le 2 Octobre était le jour fixé pour la rentrée de l'Abbaye, il me fallut donc y aller malgré ma tristesse... L'après-midi ma Tante vint nous chercher pour aller au Carmel et je vis ma *Pauline chérie* derrière les *grilles*... Ah ! que j'ai souffert à ce *parloir* du Carmel ! Puisque j'écris l'histoire de mon âme, je dois tout dire à ma Mère chérie, et j'avoue que les souffrances qui avaient précédé son entrée ne furent rien en comparaison de celles qui suivirent... Tous les Jeudis nous allions en *famille* au Carmel et moi habituée à m'entretenir cœur à cœur avec *Pauline* j'obtenais à grand-peine deux ou trois minutes à la fin du parloir, bien entendu je les passais à pleurer et m'en allais le cœur déchiré... Je ne comprenais pas que c'était par délicatesse pour ma Tante que vous adressiez de préférence la parole à Jeanne et à Marie au lieu de parler à vos petites filles... Je ne comprenais pas et je disais au fond de mon cœur : "Pauline est perdue pour moi ! ! !" Il est surprenant de voir

45

combien mon esprit se développa [...] à tel point que je ne tardai pas à tomber malade. La maladie dont je fus atteinte venait certainement du démon, furieux de votre entrée au Carmel il voulut se venger sur moi du tort que notre famille devait lui faire dans l'avenir, mais il ne savait pas que la douce Reine du Ciel veillait sur sa fragile petite fleur, qu'elle lui *souriait* du haut de son trône et s'apprêtait à faire cesser la tempête au moment où sa fleur devait se briser sans retour [37]... »

Le travail de deuil qui n'avait pas pu s'accomplir dans la petite fille après la mort d'une mère avec laquelle elle entretenait un lien de filiation ambigu, une mère remplacée aussitôt que disparue, va se faire avec fracas cette fois-ci. Elle *« perd »* Pauline, la *« mère »* chérie, choisie. La façon dont Thérèse raconte l'entrée au carmel de Pauline et ce qui s'ensuit pour elle est d'une grande précision. Non seulement cette page rend compte du travail auquel son esprit a été livré alors qu'*« elle était loin d'être mûrie »* (car on y reconnaît aisément la manière dont un enfant intelligent et sensible peut basculer dans la détresse psychotisante d'un abandon mortel), mais encore, elle laisse entendre le détachement auquel elle a été conduite en accédant, à travers ses souffrances mêmes, à la Mère qui la délivre du naufrage dans lequel la *« petite fleur »* est prise et dont personne ne s'inquiète. Cette Mère, c'est Marie, la mère de Jésus. Quelle précision : tout commence, de façon symptomatique, par

---

37. OC, p. 110-111 ; MA, p. 74-75. La citation précédente (p. 44) se trouve dans OC, p. 99 ; MA, p. 59.

l'évocation chez son oncle du souvenir de sa mère, alors que, chez sa tante, elle était séparée de son père parti à Paris avec Marie et Léonie.

Quand on perçoit, à travers les lettres de Mme Martin, la *pulsion de mort* qui l'habite, on comprend que – pour vivre – Thérèse ne pouvait que refuser le sein et probablement le regard d'angoisse et de peur de sa mère. Qu'elle soit rayonnante ou malade, une aura de mort environne la petite fille dans l'esprit de sa mère. La santé fait craindre la maladie, et la maladie, la mort.

Le sein de « la petite Rose » Taillé, robuste et saine, signifiait pour elle la Vie. Dans le langage de Mme Martin, tous ses enfants « seront pris par Dieu » : la mort et l'entrée au couvent y sont confondues. On retrouve cette confusion maternelle et la souffrance qu'elle entraîne chez Thérèse, le jour où elle est reçue *enfant de la Sainte Vierge*, le 15 octobre 1886, qui est aussi le jour de l'entrée de Marie au Carmel. Thérèse dessine bien ici le trajet qui la porte et qui, de séparation en séparation, la conduit d'une naissance impossible, prise en relais par Pauline – elle y revient encore –, puis par Marie, jusqu'au moment où elle est enfin *reçue enfant de la Vierge*, qui lui *ravit* Marie, sa marraine.

> « Avant de voir la famille réunie au *foyer Paternel* des Cieux, je devais passer encore par bien des séparations ; l'année où je fus reçue enfant de la Ste Vierge, elle me ravit ma chère Marie, l'unique soutien de mon âme... C'était Marie qui me guidait, me consolait, m'aidait à pratiquer la vertu, elle était mon seul oracle. Sans doute, Pauline était restée bien avant dans mon cœur, mais

Pauline était loin, bien loin de moi !... *J'avais souffert le martyre pour m'habituer à vivre sans elle, pour voir entre elle et moi des murs infranchissables, mais enfin j'avais fini par reconnaître la triste réalité, Pauline était perdue pour moi, presque de la même manière que si elle était morte*[38]. »

L'affection névrotique dont Thérèse entourera les siens trouve son principal ressort dans l'horreur inconsciente que lui procure sa propre mère et le désir de lui échapper qui s'ensuit : cela est, pour une enfant, extrêmement culpabilisant et ne fait que renforcer, dans le comportement et la conscience, les manifestations turbulentes d'un prétendu amour qui dit le contraire : c'est le problème de la dénégation !

La mort de Mme Martin vient mettre, dans la réalité, le comble à l'ambivalence pulsionnelle et inconsciente de Thérèse vis-à-vis de sa mère : se débarrasser du sein de mort (à noter – est-ce par hasard ? – que Zélie Martin mourra d'un cancer du sein) et retrouver le sein de vie, celui de Rose Taillé : ce qu'elle ne peut se permettre... Mais elle trouvera un arrangement névrotique dans son choix « libre » d'une autre mère au fur et à mesure que « ses » mères mourront ou entreront en religion : compromission du symptôme hystérique qui réalise deux tendances contradictoires, celui de changer d'*objet*, de mère, pour ne pas le perdre, prouvant par là une *non-culpabilité* alors que, pourtant, elle s'éprouve coupable. Elle le dira à plusieurs reprises.

---

38. OC, p. 135 ; MA, p. 106 (c'est nous qui soulignons).

Par ailleurs, plus tard, le signe de miséricorde demandé à Dieu par Thérèse pour l'assassin Pranzini – son *premier enfant*[39] – peut se donner à lire comme une projection de sa propre culpabilité. Dans une lettre, Mme Martin dira la promptitude de Thérèse à s'accuser pour des peccadilles. *« Comme un criminel, dira-t-elle, qui attend sa condamnation, mais elle a dans sa petite idée qu'on va lui pardonner plus facilement si elle s'accuse*[40]. *»*

Il serait beaucoup trop long de faire jouer ici toutes les articulations signifiantes de l'univers fantasmatique de Thérèse. Mais l'on entrevoit que le *deuil* de sa mère, impossible à faire, va virer à la *mélancolie* ou à la dépression à la suite de la *perte de Pauline, sa* maman[41], celle qui est deux fois sa mère[42].

À la suite de cette perte, Thérèse entre dans la période la plus douloureuse de sa vie : tremblements, pleurs, peines d'âme, scrupules[43], amour-propre[44], mélancolie, sentiment d'isolement[45], évanouissements,

---

39. OC, p. 143-144 ; MA, p. 119 : « J'avais obtenu "le signe" demandé et ce signe était la reproduction fidèle de grâces que Jésus m'avait faites pour m'attirer à prier pour les pécheurs. N'était-ce pas devant les *plaies* [de] *Jésus*, en voyant couleur son *sang* Divin que la soif des âmes était entrée dans mon cœur ? Je voulais leur donner à boire ce *sang immaculé* qui devait les purifier de leurs souillures, et les lèvres de "mon *premier enfant*" allèrent se coller sur les plaies sacrées ! ! !... Quelle réponse ineffablement douce !... »

40. Zélie Martin, *op. cit.*, p. 294 (lettre du 21 mai 1876).

41. OC, p. 88-89 ; MA, p. 45.

42. OC, p. 71 ; MA, p. 19.

43. OC, p. 132, 136 ; MA, p. 102, 107.

44. OC, p. 133 ; MA, p. 103-104.

45. OC, p. 135 ; MA, p. 105-106.

frayeurs, idiotie, appels désespérés (« Mama ») et douleurs intérieures...

Jusqu'au moment où, *ne trouvant aucun secours sur la terre, la pauvre petite Thérèse se tourne aussi vers sa Mère du Ciel, celle qu'elle priait de tout son cœur d'avoir enfin pitié d'elle...*

> « Tout à coup, continue Thérèse, la Sainte Vierge me parut *belle*, si *belle* que jamais je n'avais vu rien de si beau, son visage respirait une bonté et une tendresse ineffable, mais ce qui me pénétra jusqu'au fond de l'âme ce fut le "ravissant sourire de la Ste Vierge"[46]. »

Nous l'avons déjà vu, la ligne interprétative que nous suivons rend parfaitement compte de l'importance, dans l'itinéraire de Thérèse, des signifiants qui tournent autour des fleurs et, en particulier, de la rose : bien des incidents ont eu lieu à propos de roses qu'il s'agissait de couper (rose taillée !) dans le jardin et, au terme de la multiplicité des exemples qu'il faudrait relever, la fameuse « pluie de roses » que Thérèse demandera de faire tomber sur la terre. Comment, pour elle, mieux articuler sa demande du désir de la vie, don de Dieu par excellence ? À n'en pas douter, le don de la vie a quelque chose à voir avec la « petite Rose »... à laquelle elle s'identifie en tant que petite (de) Rose, ou comme « rose taillée », fleur séparée, *exilée*[47], mais appelée à être transplantée, greffée sur un arbre dont la sève la fait vivre.

---

46. OC, p. 116 ; MA, p. 81.
47. OC, p. 125 ; MA, p. 93 : « [Ses compagnes] ne comprenaient pas que

Il est remarquable que, dans la série des mères qu'elle se donne, Thérèse ne mentionne jamais sa nourrice, Rose Taillé, de laquelle, pourtant, elle a reçu la vie sans même qu'elles le sachent ni l'une ni l'autre. La petite Rose Taillé est *la figure inconsciente* de la *miséricorde* de Dieu, de Marie par laquelle nous advient, *en réalité*, la Vie de Dieu. Ce que Thérèse comprend de Dieu, de la Vie en tant qu'elle se donne à partir de cette expérience fondamentale, *elle ne le sait pas* ou, plutôt, elle n'en a pas conscience. C'est pourtant d'elle qu'elle parle. En elle, elle découvre l'amour dont tout homme est aimé dans le Ciel et qui se donne dans l'abaissement le plus grand. Les premières pages du « manuscrit A » ne sont audibles pour nous que comme la lecture de ce qui a délivré Thérèse des ombres de la mort. Faute de pouvoir tout citer, mentionnons simplement :

> « J'ai compris encore que l'amour de Notre Seigneur se révèle aussi bien dans l'âme la plus simple qui ne résiste en rien à sa grâce que dans l'âme la plus sublime ; en effet le propre de l'amour étant de s'abaisser, si toutes les âmes ressemblaient à celles des Saints docteurs qui ont illuminé l'Église par la clarté de leur doctrine, il semble que le bon Dieu ne descendrait pas assez bas en venant jusqu'à leur cœur, mais *Il a créé l'enfant qui ne sait rien et ne fait entendre*

---

toute la joie du Ciel venant dans un cœur, ce cœur *exilé* ne puisse la supporter sans répandre des larmes. [...] Je ne pleurais pas l'absence de Pauline, sans doute j'aurais été heureuse de la voir à mes côtés, mais depuis longtemps mon sacrifice était accepté ; en ce jour, la joie seule remplissait mon cœur, je m'unissais à elle qui se donnait irrévocablement à Celui qui se donnait si amoureusement à moi !... »

que de faibles cris, Il a créé le pauvre sauvage n'ayant pour se conduire que la loi naturelle et c'est jusqu'à leur cœur qu'il daigne s'abaisser, ce sont là ses fleurs des champs dont la simplicité Le ravit... En descendant ainsi le Bon Dieu montre sa grandeur infinie. De même que le Soleil éclaire en même temps les cèdres et chaque petite fleur comme si elle était la seule sur la terre, de même Notre Seigneur s'occupe aussi particulièrement de chaque âme que si elle n'avait pas de semblables et comme dans la nature, toutes les saisons sont arrangées de manière à faire éclore au jour marqué la plus humble pâquerette, de même tout correspond au bien de chaque âme. [...] Mon âme s'est mûrie dans le creuset des épreuves extérieures et intérieures, maintenant *comme la fleur fortifiée par l'orage je relève la tête et je vois qu'en moi se réalisent les paroles du psaume 22* (Le Seigneur est mon Pasteur, je ne manquerai de rien...) [48]. »

Après la prise d'habit de Pauline, devenue sœur Agnès de Jésus, le 6 avril 1883, et la guérison par le sourire de la Sainte Vierge, le 13 mai 1883, jour de Pentecôte, a lieu l'épisode du parloir au carmel qui entraîne sa *peine d'âme* dans une maladie qui va durer jusqu'à sa « complète conversion » à Noël 1886 et son entrée au Carmel en mai 1888. Thérèse interprète ainsi ce qui se passe lors de la rencontre avec Pauline : le Bon

---

48. OC, p. 72-73 ; MA, p. 21-22 (c'est nous qui soulignons). Il me semble que ce passage peut être rapproché de celui où Thérèse raconte comment « je pense au bon Dieu, à la vie... à l'ÉTERNITÉ, enfin je *pense* !... » Et elle ajoute : « *Je comprends maintenant que je faisais oraison sans le savoir et que déjà le Bon Dieu m'instruisait en secret* ». Dans cette ouverture à la parole qui est la Parole même ou le Silence, la Vérité parle. (OC, p. 122 ; MA, p. 89)

Dieu veut consoler sa « *Fiancée chérie* », Pauline, qui avait tant souffert de la maladie de sa petite fille. *Elle peut donc embrasser sa mère chérie, s'asseoir sur ses genoux et la combler de caresses* ; et, de retour aux Buissonnets, *elle assure être parfaitement guérie et n'avoir plus besoin de soins.* Mais *elle n'est qu'au début de l'épreuve.*

Après avoir cru, en effet, qu'elle avait *fait exprès d'être malade*, ce qui fut un vrai martyre pour son âme[49], *elle se figurera avoir menti* à propos de la Vierge *qui lui avait semblé très belle et qu'elle avait vue lui sourire.* Sous la pression des questions, en effet, la petite fille, révélant son secret, finira par ne plus savoir où elle en est : elle doutera de ce qu'elle dit en répondant aux questions sur la grâce qu'elle a vraiment reçue et que sa sœur Marie avait perçue : celle-ci lui avait même demandé ce qu'elle avait *vu*. En a-t-elle rajouté ? Que veut-on lui faire dire ? A-t-elle vraiment *vu* ce sourire ?

C'est au cours de cette épreuve qui plonge Thérèse dans la confusion entre fantasme et réalité, entre ce que l'on imagine et ce qui s'est réellement passé, que le tourment de la mélancolie se dénoue : la construction imaginaire et clôturante du moi se décolle de l'ouverture au réel qu'elle obstrue. Au sens fort, Thérèse fait l'expérience de la dimension du mensonge plus ou moins conscient d'une construction imaginaire prise pour le réel. Ce mensonge se glisse dans tout manque de discrétion. C'est là que la curiosité, avide de connaître le

---

49. OC, p. 113 ; MA, p. 77.

secret du Roi, satisfait la pulsion de *savoir Dieu* en le rabattant dans l'édification de ce qui n'est jamais qu'une projection de l'image de soi. La grâce de l'amour de Dieu redevient amour-propre. Découvrir cette perversion du désir de l'homme qui est désir de Dieu au cœur de la névrose ressortit d'une expérience où se laisse lire le combat des esprits, la manière dont la chair s'oppose à l'Esprit qui prend corps. Cette découverte de l'Esprit de Dieu enfermé au cœur de la folie, dans l'orgueil de la toute-puissance de la pensée, indique, dès lors qu'elle est parlée, *confessée*, le lieu où était confisqué le secret du Roi. La révélation de sa visite se manifeste dans la prison du fantasme. À la lumière de la Parole de Vérité – qui ne saurait entièrement se dire car elle est le secret ou le silence de l'Amour –, le mensonge de la représentation vide (la construction) qui fait semblant de posséder la présence se *dissout* dans le surgissement d'une vie qui est la Présence même du Roi : son secret.

Avec la révélation en elle de l'*ineffable*, *le ravissant sourire de la Ste Vierge pénètre jusqu'au fond de l'âme*, il dit dans le silence le plus intime le secret de la Mère de Dieu, la joie de son sourire [50]. «Ah! pensai-je, la Ste Vierge m'a souri, que je suis heureuse... oui mais jamais je ne le dirai à personne, car alors mon *bonheur disparaîtrait*» [51]. Et, comme elle l'avait senti, son bon-

---

50. Se rappeler le sourire d'Abraham et de Sarah qui annonce et révèle la naissance du sourire de Dieu : Isaac, figure de Jésus qui s'engendre dans l'humanité.

51. OC, p. 117 ; MA, p. 82.

heur allait disparaître et se *changer en « amertume »*, sa joie se changer en tristesse. Sous la pluie de questions l'invitant à objectiver la grâce reçue, elle se figurera avoir menti en disant qu'elle avait *vu*. Comme déjà, à propos de sa maladie *où elle craignait d'avoir fait semblant*, elle fut plongée dans une *peine d'âme* et elle ne pouvait se regarder sans un sentiment de *profonde horreur*[52].

---

52. OC, p. 118 ; MA, p. 83.

La question de l'homme :
Le Verbe s'est fait chair

Ainsi Thérèse parle des *prévenances divines* dont elle est l'objet en racontant son histoire névrotique. C'est par là que Dieu lui vient et que se manifeste à nous sa Vie dans le monde.

Toute petite, elle est aux prises avec l'anorexie mentale dont elle sortira grâce à Rose Taillé, la « petite Rose [53] » ; elle fait aussi l'expérience de l'enfermement dans la colère d'un amour-propre bien servi, chez elle, par une intelligence déliée :

> « Ce pauvre bébé se met dans des furies épouvantables quand les choses ne vont pas à son idée, elle se roule par terre comme une désespérée croyant que tout est perdu, il y a des moments où c'est plus fort qu'elle, elle en est suffoquée. C'est une enfant bien nerveuse, elle est cependant bien mignonne et très intelligente, elle se rappelle tout [54]. »

Plus tard, ce sera *la terrible maladie des scrupules* [55],

_____

53. OC, p. 82 ; MA, p. 36.
54. OC, p. 80 ; MA, p. 33.
55. OC, p. 132 ; MA, p. 102.

avec ses frayeurs et ses évanouissements, conjugués à la labilité de son hypersensibilité [56].

Thérèse date donc du 25 décembre 1886 la sortie de la période infantile troublée qui suit la mort d'une mère – en août 1877. Elle a quatorze ans quand elle *retrouve son caractère d'« enfant » tout en entrant dans le sérieux de la vie* [57]. Il est notable que la guérison survienne en cette année 1886 pendant laquelle Marie, sa sœur aînée et sa marraine, devient à son tour carmélite.

> « Un mois avant son entrée au Carmel, Papa nous conduisit à Alençon, mais ce voyage fut loin de ressembler au premier, tout y fut pour moi tristesse et amertume. Je ne pourrais dire les larmes que je versai sur la tombe de maman, parce que j'avais oublié d'apporter un bouquet de bluets cueillis pour elle. Je me faisais vraiment des peines de *tout*, c'était le contraire de maintenant, car le Bon Dieu me fait la grâce de n'être abattue par aucune chose passagère. Quand je me souviens du temps passé, mon âme déborde de reconnaissance en voyant les faveurs que j'ai reçues du Ciel, il s'est fait un tel changement en moi que je ne suis pas reconnaissable [58]... »

---

56. OC, p. 141 ; MA, p. 113-114 : « J'étais vraiment insupportable par ma trop grande sensibilité, ainsi, s'il m'arrivait de faire involontairement une petite peine à une personne que j'aimais, au lieu de prendre le dessus et de ne pas *pleurer*, ce qui augmentait ma faute au lieu de la diminuer je *pleurais* comme une Madeleine et lorsque je commençais à me consoler de la chose en elle-même, je *pleurais d'avoir pleuré*... »
57. OC, p. 89, 141 ; MA, p. 46, 115.
58. OC, p. 138-139 ; MA, p. 110-111.

Étonnant paragraphe dont les associations de mots et d'idées [59] nous ramènent sur la tombe de Mme Martin avec le somptueux acte manqué de Thérèse : elle oublie un bouquet de bluets cueillis pour sa mère... et c'est pour cela qu'elle pleure !

La *règle pour écrire* que Thérèse a reçue de la mère Agnès de Jésus, la deuxième de ses sœurs et sa *seconde mère*, ressemble à la règle que le psychanalyste donne à son patient au début de la cure. Nous ne voulons pas dire, ici, que les manuscrits de Thérèse sont l'équivalent d'une cure analytique (cela ne voudrait pas dire grand-chose). Mais cela nous autorise à une *lecture psychanalytique* du discours de Thérèse, une lecture à la lumière de la compréhension dont la psychanalyse donne les clés. Une telle lecture introduit à l'histoire de Thérèse – comme à la nôtre d'ailleurs – sans pour autant porter atteinte à une *lecture spirituelle* de ce même discours à la lumière de la révélation de Jésus-Christ. Au contraire, ces deux lectures ressortissent à une anthropologie théologique de l'Incarnation qui n'autorise à lire la présence de l'Esprit *que* dans la chair, à la lumière du Verbe fait Chair qui révèle l'Amour de Dieu dans une histoire dont la maladie et la mort ne sont le *dernier* mot que pour la Raison des hommes qui refusent le don de la Vie. En cette articu-

---

59. OC, p. 73 ; MA, p. 22 : « Vous m'avez demandé d'écrire sans contrainte ce qui me viendrait à la *pensée*, ce n'est donc pas ma vie proprement dite que je vais écrire, ce sont mes *pensées* sur les grâces que le Bon Dieu a daigné m'accorder. »

lation, la métaphore – dont Thérèse a le secret – autorise à écouter la Vérité qui parle en « nous », c'est-à-dire le *Sujet* invisible, inconscient, l'Esprit, au cœur même de ce qui, depuis le commencement, la voile. C'est à ce prix qu'il est rendu compte de la gloire de Dieu, de l'homme vivant[60].

> « Aussi, ma Mère, c'est avec bonheur que je viens chanter près de vous les miséricordes du Seigneur... C'est pour *vous seule* que je vais écrire l'histoire de la *petite fleur* cueillie par Jésus, aussi je vais parler avec abandon, sans m'inquiéter ni du style ni des nombreuses digressions que je vais faire. Un cœur de mère comprend toujours son enfant alors même qu'il ne sait que bégayer, ainsi je suis sûre d'être comprise et devinée par vous qui avez formé mon cœur et l'avez offert à Jésus !...
>
> Il me semble que si une petite fleur pouvait parler, elle dirait simplement ce que le Bon Dieu a fait pour elle sans essayer de cacher ses bienfaits, sous le prétexte d'une fausse humilité elle ne dirait pas qu'elle est disgracieuse et sans parfum, que le soleil lui a ravi son éclat et que les orages ont brisé sa tige alors qu'elle reconnaîtrait en elle-même tout le contraire. La fleur qui va raconter son histoire se réjouit d'avoir à publier les prévenances tout à fait gratuites de Jésus, elle reconnaît que rien n'était capable en elle d'attirer ses regards divins et [que[61]] sa miséricorde seule a fait tout ce qu'il y a de bien en elle... C'est Lui qui

---

60. « *La gloire de Dieu, c'est l'homme vivant* » (saint Irénée).
61. Il me semble que le texte de Thérèse ne mérite pas le rajout de ce [que] : ce n'est pas elle qui *reconnaît* que sa miséricorde a tout fait... Cette proclamation de *sa miséricorde* n'est pas soumise ou consécutive à la reconnaissance de Thérèse.

l'a fait naître en une terre sainte et comme tout imprégnée d'un *parfum virginal* [62]. »

Du 25 décembre 1886 date la « complète conversion » de Thérèse, et donc commence pour elle *une course de géant* !

« La source de mes larmes fut tarie et ne s'ouvrit depuis que rarement et difficilement ce qui justifia cette parole qui m'avait été dite : "Tu pleures tant dans ton enfance que plus tard tu n'auras plus de larmes à verser !..." [63] »

Avec son style propre, qui est fait de cet humour net et d'un détachement qui ne cherche pas à convaincre ou à justifier, Thérèse, parlant d'elle à la troisième personne, indique avec sobriété comment elle est délivrée de sa prison névrotique. *Elle a retrouvé sa force d'âme et c'est pour toujours qu'elle doit la conserver* [64].

« En peu de temps le Bon Dieu avait su me faire sortir du cercle étroit où je tournais ne sachant comment en sortir. En voyant le chemin qu'Il me fit parcourir, ma reconnaissance est grande, mais il faut bien que j'en convienne, si le plus grand pas était fait, il me restait encore bien des choses à quitter. Dégagé des scrupules, de sa sensibilité excessive, mon esprit se développa. J'avais toujours aimé le grand, le beau, mais à cette époque je fus prise d'un désir extrême de *savoir* [65]. »

---

62. OC, p. 73-74 ; MA, p. 22-23. Cette citation précède immédiatement celle de la page 28 du présent ouvrage.
63. OC, p. 141 ; MA, p. 115.
64. OC, p. 142 ; MA, p. 116.
65. OC, p. 145 ; MA, p. 119.

Retrouvant l'esprit d'enfance et son abandon, elle n'aura pas d'autre guide que l'Enfant Jésus : elle devient le jouet de l'amour jusqu'à se perdre, tel *un grain de sable, dans la Sainte Face du Crucifié.*

« ... La voie par laquelle je marchais était si droite, si lumineuse qu'il ne me fallait pas d'autre guide que Jésus [66]... »

---

66. OC, p. 148-149 ; MA, p. 124.

La souffrance du Fils de Dieu

Ce n'est pas parce qu'elle *souffre avec le Christ* que Thérèse *de l'Enfant-Jésus* va pouvoir s'approprier le Christ, sa souffrance et sa soif des âmes. Au contraire, en partageant souffrance et soif avec lui, elle ne saurait se situer par rapport à lui dans le but d'en jouir, que ce soit dans la plainte, la révolte ou le retrait, et moins encore dans la vanité. Car ce à quoi elle est appelée, ce n'est pas à la souffrance, en effet : c'est à l'amour.

« Considérant le corps mystique de l'Église, je ne m'étais reconnue dans aucun des membres décrits par St Paul, ou plutôt je voulais me reconnaître en *tous*... La Charité me donna la clef de ma *vocation*. Je compris que si l'Église avait un corps, composé de différents membres, le plus nécessaire, le plus noble de tous ne lui manquait pas, je compris que l'Église avait un Cœur, et que ce Cœur était brûlant d'AMOUR. Je compris que l'Amour seul faisait agir les membres de l'Église, que si l'Amour venait à s'éteindre, les Apôtres n'annonceraient plus l'Évangile, les Martyrs refuseraient de verser leur sang... Je compris que l'AMOUR renfermait toutes les Vocations, que l'Amour était tout, qu'il embrassait tous les temps et tous les lieux... en un mot qu'il est Éternel !...

Alors dans l'excès de ma joie délirante je me suis écriée :
Ô Jésus mon Amour... ma vocation enfin je l'ai trouvée,
ma vocation, c'est l'Amour [67] ! »

C'est à lui qu'elle est destinée depuis toujours, en tout et partout jusques et y compris dans la plus grande *dépossession* d'elle-même. L'Amour n'aime pas pour lui-même ! Et toutes les tribulations ne sauraient le détourner de Celui qu'il aime dans ceux qu'il aime. Sans l'amour, rien n'est en vérité : aucun *don*, pas même la souffrance de ceux qui ont mal, n'est vrai. Sans lui, la souffrance devient inquiétude obsédante, voire plaisir de vivre en luttant contre le mal ou en se réfugiant en lui, elle plonge dans la colère et dans la haine. Avec l'amour, la souffrance devient pure : comme lui, elle n'est le lieu d'aucun retour sur soi, d'aucune accusation, elle est le lieu de la dépossession de soi par un amour qui s'ignore. Alors la vérité du souffrant consiste à être dépossédé de lui-même. Ce n'est pas parce qu'il a le sentiment de vivre en lui-même qu'il reconnaît l'amour, c'est plutôt parce qu'il est attiré dans une solitude ou un abandon tels que son manque à être, son face à face avec la mort le réfèrent non à lui-même, mais à la joie et à la paix d'une Vie qui n'est pas de lui, mais sans laquelle il n'éprouverait même pas qu'il n'est *rien.* Une Vie qui vit en lui au point d'en mourir avec lui, alors qu'il vit d'elle en esprit et en vérité, dans son corps.

---

67. OC, p. 226 ; MA, p. 226.

Dans la nuit de la foi, l'amour pas plus que la souffrance ne se mesure au *sentiment*. Or la souffrance de ne pas se *sentir aimé* et/ou de ne pas se *sentir aimer* est la souffrance même du Fils de Dieu partageant avec les hommes qu'il aime les effets du péché en eux. La vérité de l'amour n'est pas dans le sentiment que l'homme en a ; elle est dans la foi en un amour dont l'essence est de se donner, de donner sa vie tout entière en tout et en tous. C'est très précisément là que Thérèse épouse *la Sainte Face* dans laquelle elle se perd comme un *« grain de sable »* [68]. C'est parce qu'elle aime d'un amour qui est de Dieu – sans jouir d'aimer – qu'elle souffre de la souffrance de Jésus, son Fils, et c'est aussi parce qu'elle souffre sans jouir de la souffrance qu'elle aime de l'amour de Jésus.

> « Pendant 5 années cette voie fut la mienne mais à l'extérieur, rien ne traduisait ma souffrance d'autant plus douloureuse que j'étais seule à la connaître [69]. »

> « Ah ! Seigneur, je sais que vous ne commandez rien d'impossible, vous connaissez mieux que moi ma faiblesse, mon imperfection, vous savez bien que jamais je ne pourrais aimer mes sœurs comme vous les aimez, si *vous-même*,

---

68. *Cf.* les lettres 45, 49, 54, 74, 82, 86, 95, 103, 114. De même, le « manuscrit C », OC, p. 237 ; MA, p. 240 et la « Prière » 2, OC, p. 957.
69. OC, p. 186 et 187 ; MA, p. 174 et 175. Lors de son entrée au Carmel : « Enfin mes désirs étaient accomplis, mon âme ressentait une PAIX si douce et si profonde qu'il me serait impossible de l'exprimer et depuis 7 ans et demi cette paix intime est restée mon partage, elle ne m'a pas abandonnée au milieu des plus grandes épreuves. » (OC, p. 186 ; MA, p. 173)

ô mon Jésus, ne les *aimiez* encore *en moi*. C'est parce que vous vouliez m'accorder cette grâce que vous avez fait un commandement *nouveau*. – Oh! que je l'aime puisqu'il me donne l'assurance que votre volonté est d'*aimer en moi* tous ceux que vous me commandez d'aimer [70]!... »

La souffrance sans complaisance ne cherche sa vérité ni en elle-même, dans l'inflation, ni en se niant, dans la rétention. Elle est souffrance nue (pure). Elle n'accuse personne et ne fait pas passer pour victime celui ou celle qui en est le lieu. Et en ceci, elle est la marque du plus grand amour, de l'amour qui consiste à donner sa vie pour ceux qu'on aime sans en rien attendre en retour. Sans même que celui qui la donne et pas davantage ceux qui la reçoivent ne le sachent pour s'en satisfaire. Celui qui donne vraiment ne jouit pas de son don. Ceux qui reçoivent vraiment n'ont pas de compte à rendre, pas de dette autre qu'à vivre de la vie donnée en participant de ce don d'elle-même. *« Car une âme embrasée d'amour ne peut rester inactive »* [71]. Celui qui aime en esprit et en vérité n'a rien à faire savoir – ni même à *savoir* [72] – de la souffrance dont il souffre quand celui qu'il aime a mal... L'amour n'est pas une préoccupation qui appelle quelque chose en retour, qui appelle à « en rendre ». Il aime parce qu'il aime. Seul « l'amour attire l'amour ».

---

70. OC, p. 250-251 ; MA, p. 258.
71. OC, p. 284 ; MA, p. 300.
72. OC, p. 119 ; MA, p. 86 : « Il est vrai qu'en lisant certains récits chevaleresques, je ne sentais pas toujours au premier moment le *vrai* de la *vie* ; mais bientôt le bon Dieu me faisait sentir que la vraie gloire est

« Si, par impossible, le bon Dieu lui-même ne voyait pas mes bonnes actions, je n'en serais nullement affligée. Je l'aime tant, que je voudrais pouvoir lui faire plaisir sans même qu'il sache que c'est moi. Le sachant et le voyant, il est comme obligé "de m'en rendre", je ne voudrais pas lui donner cette peine-là[73]... »

L'amour dont Dieu aime surgit dans la bouche de Jésus comme un commandement *nouveau*. Il va plus loin que le commandement *ancien*, celui de la Loi, qui demande d'aimer son prochain *comme soi-même*.

Thérèse va jusqu'à rêver d'un monastère où elle serait inconnue[74], un lieu de solitude où elle ne se connaîtrait pas elle-même, où elle ne pourrait jouir ni de connaître ni d'être connue. Elle ne connaîtrait là que celui qui lui manque dans l'exil du cœur.

Elle ne pouvait pas mieux indiquer l'essence même du désir et de l'Amour. Le plaisir et la volonté de Dieu résident dans l'acte de donner sa Vie dans et à travers celui qui donne la sienne pour lui et comme lui. Là où, dans l'offrande de la souffrance, dans le sacrifice de louange, rien n'est attendu en retour. En lui, tout est dit et tout est fait. Là il ne peut y avoir à craindre « aucune déception ».

---

celle qui durera éternellement et que pour y parvenir il n'était pas nécessaire de faire des œuvres éclatantes mais de se cacher et de *pratiquer la vertu en sorte que la main gauche ignore ce que fait la droite...* »
Le désir de la souffrance n'est pas à confondre avec le savoir de la souffrance : « ... [la souffrance] avait des charmes qui me ravissaient sans les bien connaître. » (OC, p. 127 ; MA, p. 95)
73. OC, p. 997, « Le carnet jaune », 9 mai 1897.
74. OC, p. 247 ; MA, p. 252-253.

> « Je sens bien que je n'aurais aucune déception, car lors-
> qu'on s'attend à une souffrance pure et sans aucun
> mélange, la plus petite joie devient une surprise inespé-
> rée, et puis vous le savez ma Mère, la souffrance elle-
> même devient la plus grande des joies lorsqu'on la
> recherche comme le plus précieux des trésors [75]. »

La déception est en effet la marque d'un désir
égoïste et narcissique. Elle s'inscrit dans le registre du
découragement, et à plusieurs reprises Thérèse dira
qu'*elle ne se décourage jamais*. Elle ne se découragera pas
pour faire comprendre comment *elle comprend la charité
purement spirituelle.*

> « Heureusement je ne suis pas facile à décourager, pour
> vous le montrer, ma Mère, je vais finir de vous expliquer
> ce que Jésus m'a fait comprendre au sujet de la charité.
> [...] *Prêter* sans en *rien espérer*, cela paraît dur à la nature,
> on aimerait mieux *donner*, car une chose donnée n'ap-
> partient plus [76]. »

Souvent nous sommes d'autant plus déçus que nous
avons – ou croyons avoir – un grand cœur, une grande
sensibilité. Nous sommes alors découragés, sans même
nous rendre compte que ce découragement est de l'orgueil, un désir qui place ailleurs qu'en Dieu notre espérance. En y repérant la faute d'orgueil, Thérèse s'hu-
milie ainsi non pour restaurer sa propre image, mais

---

75. OC, p. 248 ; MA, p. 253-254.
76. OC, p. 258-259 ; MA, p. 267-268.

pour répondre à son amour et se réjouir de mettre en Dieu seul son espérance :

> « Je le sais, ô mon Dieu, vous abaissez l'âme orgueilleuse mais à celle qui s'humilie vous donnez une éternité de gloire, je veux donc me mettre au dernier rang, partager vos humiliations afin "d'avoir part avec vous" dans le royaume des Cieux. Mais, Seigneur, ma faiblesse vous est connue ; chaque matin je prends la résolution de pratiquer l'humilité et le soir je reconnais que j'ai commis encore bien des fautes d'orgueil, à cette vue je suis tentée de me décourager mais, je le sais, le découragement est aussi de l'orgueil, je veux donc, ô mon Dieu, fonder sur *Vous seul* mon espérance ; puisque vous pouvez tout, daignez faire naître en mon âme la vertu que je désire. Pour obtenir cette grâce de votre infinie miséricorde je vous répéterai bien souvent : "Ô Jésus, doux et humble de cœur, rendez mon cœur semblable au vôtre !" [77] »

Celui qui aime ainsi, dans l'impuissance de sa petitesse, ne souffre plus avec tristesse, mais dans la joie de l'amour pur, sans les scories du narcissisme. Il vit de la puissance de Dieu seul. « *Solo Dios basta* [78] *!* »

Alors il ne fait pas « comme les âmes qui n'ont pas la foi et qui, par l'abus des grâces [récupération dans la jouissance] perdent ce précieux trésor, source des seules joies pures et véritables. Il permit que mon âme fût envahie des plus épaisses ténèbres et que la pensée

---

77. OC, p. 976, « Prière pour obtenir l'Humilité », 16 juillet 1897.
78. Thérèse d'Avila, *Œuvres complètes*, Paris, Desclée de Brouwer, 1964, Poésies, p. 1089.

du Ciel si douce pour moi ne soit plus qu'un sujet de combat et de tourment [79]... ». Celui qui aime ainsi est livré au martyre de vivre sans être encore l'amour.

Vivre sans être encore l'amour, sans être Dieu, c'est souffrir de ne pas pouvoir vivre en vérité à cause du péché. C'est brûler de désir par amour de Dieu, non pour l'amour de soi. C'est réconcilier en Jésus la chair et l'esprit dissociés par le péché d'Adam.

Celui qui souffre ainsi est une créature nouvelle. *Il est dans le Christ.* Avec Lui, l'être ancien a disparu, un être nouveau est là. Et le tout vient de Dieu « qui nous a réconciliés avec Lui par le Christ et nous a confié le ministère de la réconciliation. Car c'était Dieu qui dans le Christ se réconciliait le monde, ne tenant plus compte des fautes des hommes, et mettant en nous la parole de réconciliation [80] ».

À la suite de St Paul, la petite Thérèse est l'ambassadrice du Christ et, par elle, c'est Dieu lui-même qui, en fait, nous adresse un appel à la réconciliation dans le Christ Jésus.

---

79. OC, p. 241 ; MA, p. 245.
80. St Paul, Deuxième Épître aux Corinthiens, 5, 17-19.

Dans l'innocent, le mal est vécu comme souffrance

S'appuyer sur la prière de quelqu'un, cela veut dire rester en contact avec la paix et la joie qui font le cœur de la vie et qui témoignent du désir de Dieu là même où la maladie, la mort, le mensonge et la souffrance cherchent à troubler le cœur et à détruire l'espérance du monde.

> « Mon cœur est plein de la volonté du bon Dieu, aussi, quand on verse quelque chose par-dessus, cela ne pénètre pas à l'intérieur ; c'est un rien qui glisse facilement, comme l'huile qui ne peut se mélanger avec l'eau. Je reste toujours au fond dans une paix profonde que rien ne peut troubler[81]. »

Thérèse dira joliment, lorsqu'elle se sentira suspectée de donner le change en prenant un air gai et en par-

---

81. OC, p. 1044 et 1136, « Le carnet jaune », 14 juillet et 24 septembre 1897 : « Ah! ma Mère, des intuitions! Si vous saviez dans quelle pauvreté je suis! Je ne sais rien que ce que vous savez ; je ne devine rien que par ce que je vois et sens. *Mais mon âme malgré ses ténèbres est dans une paix étonnante.* »

lant librement (de sa mort, par exemple), qu'*elle agit toujours sans «feintise*[82]*»*. Son intention n'est jamais oblique, et l'obéissance même ne peut l'y pousser comme en témoigne cette repartie à sœur Agnès *qui lui demandait de dire quelques paroles d'édification et d'amabilité à M. de Cornière,* le médecin :

> « Ah ! ma petite Mère, ce n'est pas mon petit genre... Que Mr de Cornière pense ce qu'il voudra. Je n'aime que la simplicité, j'ai horreur de la *"feintise"*. Je vous assure que, de faire comme vous désirez, ce serait mal de ma part[83]. »

Et pas plus qu'elle ne peut en rajouter sur le versant de la gentillesse, elle n'en rajoute dans la peine et dans la souffrance :

> « Je ne m'attendais pas à souffrir comme cela ; je souffre comme un petit enfant. [...]
> ... Je ne voudrais jamais demander au bon Dieu des souffrances plus grandes. S'il les augmente, je les supporterai avec plaisir et avec joie puisque ça viendra de lui. Mais je suis trop petite pour avoir la force par moi-même. Si je demandais des souffrances, ce seraient mes souffrances à

---

82. OC, p. 1040 et 1089, « Le carnet jaune », 13 juillet et 11 août 1897 : « Et que vous avez été gentille et aimable ! Sûrement, toute cette gaîté n'est pas sincère, vous souffrez trop d'âme et de corps. En riant : *Jamais je ne "feins", je ne suis pas comme la femme de Jéroboam.* » 15 août 1897, OC, p. 1092 : « ...Ah ! je ne *feins* pas, c'est bien vrai que je n'y vois goutte. Mais enfin, il faut que je chante bien fort dans mon cœur : "Après la mort, la vie est immortelle" ou bien sans ça, ça tournerait mal... »
83. OC, p. 1027, « Le carnet jaune », 7 juillet 1897.

moi, il faudrait que je les supporte seule, et je n'ai jamais rien pu faire toute seule [84].

Si c'est *librement* – sans feinte – que Jésus monte à Jérusalem pour aller à la Croix et nous rejoindre, c'est *librement* que, à sa suite et pour le rejoindre dans la souffrance où il nous cherche, nous avons à le chercher. Il ne se trouve pas ailleurs : le Fils du Très-Haut promis à Marie se trouve sur la Croix, et elle ne doute pas de lui quand elle l'y retrouve. Quel mystère ! Mais si Dieu aime les hommes, il est avec eux dans leur malheur : il les a *précédés* librement, dans la chair, là où ils se sont laissé enchaîner, aliéner par le péché. Dieu ne connaît le mal que comme souffrance, comme la souffrance de celui qui aime et voit ceux qu'il aime ne pas vivre de sa vie, mais – comme le disait Françoise Dolto – *dévivre,* c'est-à-dire vivre de l'*apparence* de la vie.

Et c'est à ce signe : *vivre le mal comme souffrance* – la compassion – que l'on reconnaît les hommes qui vivent de l'innocence de la grâce et du pardon de Dieu. *Ils ne connaissent le mal que comme souffrance.* Dans la souffrance du Christ, Dieu connaît le mal que l'homme se fait : c'est ainsi que se révèle l'innocence du Dieu Tout-Puissant au cœur de l'homme. Il n'est pas venu le juger. Il est venu pour être avec lui et, par là, le sauver de la mort du péché.

---

84. OC, p. 1088, « Le carnet jaune », 11 août 1897.

« La sensibilité de l'innocent qui souffre est comme du crime sensible. Le vrai crime n'est pas sensible. L'innocent qui souffre sait la vérité sur son bourreau, le bourreau ne la sait pas. Le mal que l'innocent sent en lui-même est dans son bourreau, mais il n'y est pas sensible. L'innocent ne peut connaître le mal que comme souffrance. Ce qui, dans le criminel, n'est pas sensible, c'est le crime. Ce qui, dans l'innocent, n'est pas sensible, c'est l'innocence. C'est l'innocent qui peut sentir l'enfer.

Le péché que nous avons en nous sort de nous et se propage au-dehors, en exerçant une contagion sous forme de péché. Ainsi, quand nous sommes irrités, notre entourage s'irrite. Ou encore de supérieur à inférieur : la colère suscite la peur. Au contact d'un être parfaitement pur, il y a transmutation et le péché devient souffrance. Telle est la fonction du juste d'Isaïe, de l'Agneau de Dieu. Telle est la souffrance rédemptrice. [...] Les êtres mauvais, au contraire, transforment la simple souffrance (par exemple la maladie) en péché.

[...] Le faux Dieu change la souffrance en violence. Le vrai Dieu change la violence en souffrance.

[...] La pureté est absolument invulnérable en tant que pureté, en ce sens que nulle violence ne la rend moins pure. Mais elle est éminemment vulnérable en ce sens que toute atteinte du mal la fait souffrir, que tout péché qui la touche devient en elle souffrance [85]. »

À cette condition, la souffrance est rédemptrice : elle devient sacrifice en vérité. Elle n'est rédemptrice que dans l'innocent, dans celui qui ne nuit pas, dans celui

---

85. Simone Weil, *La Pesanteur et la Grâce*, Paris, Plon, 1947, rééd. 1992, p. 85-88.

qui ne connaît pas le péché. En lui, elle témoigne de la joie de la Vie qui ne peut pas se dire autrement. Ainsi en va-t-il de celui qui, parmi les pécheurs, ne connaît pas le péché. Il est atteint par la souffrance de l'homme, non par le péché. Cela s'appelle *mourir d'amour*. La *petite* Thérèse en parle quand elle évoque le *martyre* à propos de l'amour – *aimer Jésus sans sentir la douceur de cet amour* – ou le *martyre ignoré*. Le 14 juillet 1889, elle écrit à Céline :

> « Comment donc Jésus a-t-il fait pour détacher nos âmes de tout le créé ? Ah ! il a frappé un grand coup... mais c'est un coup d'amour. Dieu est admirable, mais surtout il est aimable, aimons-le donc... aimons-le assez pour souffrir pour lui tout ce qu'il voudra, *même* les peines de l'âme, les aridités, les angoisses, les froideurs apparentes... ah ! c'est là un grand amour d'aimer Jésus sans sentir la douceur de cet amour... c'est là un martyre... Eh bien ! *mourons Martyres*. Oh ma Céline... le doux écho de mon âme, comprends-tu ?... le martyre ignoré, connu de Dieu seul, que l'œil de la créature ne peut découvrir, martyre sans honneur, sans triomphe... Voilà l'amour poussé jusqu'à l'héroïsme... Mais un jour le Dieu reconnaissant s'écriera : "Maintenant mon tour." Oh ! que verrons-nous alors ?... Qu'est-ce que c'est que cette vie qui n'aura plus de fin ?... Dieu sera l'âme de notre âme... mystère insondable... L'œil de l'homme n'a point vu la lumière *incréée*[86]... »

À cette souffrance qui ne trouve sa récompense dans aucune jouissance – ni celle du sentiment d'aimer, ni

---

86. OC, p. 396 (à Céline, 14 juillet 1889).

celle du sentiment de souffrir –, on reconnaît la vérité de l'amour dans le monde. L'amour ne s'accomplit ni dans la souffrance, ni dans l'accusation des autres, ni dans la revendication de la victime : rien ne l'arrête, il détache l'âme de tout le créé : il en est l'origine et la fin, il est le don originaire et l'infini du désir. La souffrance de l'amour est pardon : don qui traverse ce qui l'arrête et qui donne à l'amour sa visibilité là même où il est ignoré. Qui souffre de cet amour-là témoigne de la Vie dans la mort, de la grâce dans le péché, de la Vérité dans le mensonge, du tout dans le rien. Celui-là apporte le salut. Il manifeste qu'il est *attiré* dans les flammes de l'amour de Dieu qui vit et agit en lui comme le feu agit dans le fer qu'il pénètre.

> « Qu'est-ce donc de demander d'être *Attiré*, sinon de s'unir de manière intime à l'objet qui captive le cœur ? Si le feu et le fer avaient la raison et que ce dernier disait à l'autre : Attire-moi, ne prouverait-il pas qu'il désire s'identifier au feu de manière qu'il le pénètre et l'imbibe de sa brûlante substance et semble ne faire qu'un avec lui. Mère bien-aimée, voici ma prière, je demande à Jésus de m'attirer dans les flammes de son amour, de m'unir si étroitement à Lui, qu'Il vive et agisse en moi [87]. »

Ce n'est même pas parce que son âme est préservée du péché, pardonnée d'avance, que Thérèse s'élève à Dieu par la confiance et l'amour, c'est « parce qu'elle

---

87. OC, p. 283-284 ; MA, p. 300.

sait combien Il chérit l'enfant prodigue qui revient à Lui ».

Se laisser aller à l'union avec celui qui prie ou qui souffre ou qui aime, c'est rejoindre celui qu'il prie, celui dont il vit, celui qui l'aime [88].

---

88. Ma lecture de Thérèse de l'Enfant-Jésus et de la Sainte-Face n'est pas sans lien, à cet égard, avec ce que j'entends et vois, aujourd'hui, dans ma pratique professionnelle de psychanalyste.

Tout ce qui ne se rapporte pas à Dieu n'est que mensonge [89]

Thérèse rend grâce pour et dans la liberté d'écrire, de vivre, de se confier par la médiation des mots à ce surgissement de la joie d'être aimée au cœur même de l'accablement ou de la tristesse qui témoignent de la manière dont il nous est donné de consentir à l'amour de Dieu, à sa volonté, ou au contraire de nous en protéger. Mais consentir en esprit et en vérité à la vie qui nous est donnée, c'est se risquer dans une foi qui est nécessairement mise à l'épreuve dans la tentation la plus grande : celle de ne pas croire en Celui qui en fait le don, lorsque le don n'est plus ressenti comme un don de Dieu. Cette épreuve ne va pas sans angoisse et sans souffrance : ne pas succomber à la peur dans cette traversée-là – celle de Jésus rencontrant le diable au désert, après le baptême où il vient d'être déclaré Fils en qui toute la faveur du Père repose –, devient la marque

---

89. Thérèse d'Avila, *Vie par elle-même*, Paris, Le Seuil, coll. « Points Sagesses », 1996, chapitre XI.

d'une foi qui n'est pas d'elle, mais de Dieu, qui est l'Esprit du Père dans le Fils qui meurt...

> « Notre-Seigneur est mort sur la Croix, dans les angoisses, et voilà pourtant la plus belle mort d'amour. C'est la seule qu'on ait vue, on n'a pas vu celle de la Sainte Vierge. Mourir d'amour, ce n'est pas mourir dans les transports. Je vous l'avoue franchement, il me semble que c'est ce que j'éprouve.
>
> *Oh ! comme je pressens que vous allez souffrir !*
> Qu'est-ce que cela fait ! la souffrance pourra atteindre des limites extrêmes, mais je suis sûre que le bon Dieu ne m'abandonnera jamais [90].
>
> Ne soyez pas triste de me voir malade, ma petite Mère, car vous voyez comme le bon Dieu me rend heureuse. Je suis toujours gaie et contente [91]. »

Dans la souffrance la plus grande qui obscurcit la raison et n'autorise plus le sentiment, dans le dénuement le plus grand et l'impuissance de la volonté propre [92], dans l'abandon, éprouvé dans la chair jusqu'à la mort, Thérèse donnera à reconnaître qu'elle n'est pour *rien* dans la joie et la paix qui l'habitent alors qu'elle est livrée à la douleur et à la sécheresse : ce n'est pas de sa vie qu'il

---

90. OC, p. 1023, « Le carnet jaune », 4 juillet 1897.
91. *Id.*, p. 1024, 5 juillet 1897.
92. *Id.*, p. 1039, 13 juillet 1897 : « Il faudra que le bon Dieu fasse toutes mes volontés au Ciel, parce que je n'ai jamais fait ma volonté sur la terre. »

s'agit mais bien de celle de Dieu en elle ! Et se protéger de cette épreuve serait s'enfermer en elle-même pour résister : ce serait quitter la *voie de l'enfance*... Ce serait croire qu'elle peut faire quelque chose. Il est vrai qu'à cet endroit, le sentiment d'abandon est mordant. Nous y éprouvons comme manquante la main d'un père qui montre le chemin, sa voix qui appelle pour que la décision de vivre ne soit pas dans le vide, dans notre vide, mais soit la réponse à Celui qui nous désire depuis l'origine. Et « *qui se plaît*, comme dit Thérèse, *à voir son épouse errer... dans le désert, n'ayant pas d'autre office que d'aimer en souffrant sans même "sentir" qu'elle aime !* »

Elle est incroyable, cette Thérèse ! Dans la foi qui est la sienne, elle ne s'arrête pas à la déréliction de sa tristesse : *exilée*, comme elle le dit, *elle est triste sans être triste, car si les tendresses des créatures ne sont pas concentrées sur elle, la tendresse de Jésus est tout entière* CONCENTRÉE *sur elle* [93].

La vie non référée au sentiment mais à la foi du don de la vie de Dieu en nous, le don sans repentance et sans repentir de l'amour, ne doit rien à celui ou à celle qui le reçoit puisqu'il n'est *rien sans lui*. Il est dans le désert et dans l'errance : il a soif de *tout*, il a soif de ce qui n'est pas *rien*.

> « *Je [Agnès de Jésus, sa sœur prieure] lui disais : Hélas ! Je n'aurai rien à donner au bon Dieu, à ma mort, j'ai les mains vides ! Cela m'attriste beaucoup.*

---

93. OC, p. 487 (à Céline, mars ou mai 1894).

Eh bien ! vous n'êtes pas comme "bébé" (*elle se donnait ce nom quelquefois*) qui se trouve pourtant dans les mêmes conditions... Quand même j'aurais accompli toutes les œuvres de St Paul, je me croirais encore "serviteur inutile" mais c'est justement ce qui fait ma joie, car n'ayant rien, je recevrai tout du bon Dieu [94]. »

En lisant Thérèse, j'ai l'impression que l'amour de Dieu dont elle témoigne dans sa réclusion même, la tire, au cœur de sa solitude, de ce qui, sans cet amour, ne saurait se lire que comme folie et perversion, pure destruction d'elle-même. Comment fait-elle pour avoir une telle liberté dans la souffrance ? Elle n'en jouit pas, précisément. En elle, c'est à Dieu qu'elle consent. Elle y vit de son Esprit. La joie dont elle témoigne n'est pas d'elle. Elle ne trouve ni plaisir ni déplaisir à souffrir : tout son désir est en Dieu qui est sa vie. Elle est tout entière ouverte à la joie, offerte au Dieu qui l'*attire*. Ce n'est pas dans le *sentiment* qu'elle trouve son plaisir : elle aime Dieu pour Dieu seul, pas pour elle ! Elle aime Dieu de l'amour dont il l'aime. Lorsqu'il n'en est pas ainsi, l'amour en l'homme est menteur et son mensonge devient obstacle à tout recevoir de Dieu, à vivre en Vérité.

« Comme je comprends bien la parole de Notre Seigneur à N. M. Ste Thérèse : "Sais-tu, ma fille, ceux qui m'aiment véritablement ? Ce sont ceux qui reconnaissent que tout ce qui ne se rapporte pas à moi n'est que mensonge."

---

94. OC, p. 1018, « Le carnet jaune », 23 juin 1897.

Ô ma petite Mère, comme je sens que c'est vrai ! Oui, tout en dehors du bon Dieu, tout est vanité[95]. »

Elle termine une de ses lettres en faisant parler Jésus au moment où il la recevra dans le *palais éternel* :

> « *C'est alors qu'il dira : "maintenant mon tour". Tu m'as donné sur la terre le seul asile* auquel tout cœur humain ne veut pas renoncer, c'est-à-dire *toi-même*, et maintenant je te donne pour demeure ma substance éternelle, c'est-à-dire "Moi-même", voilà ta maison pour toute l'éternité. Pendant la nuit de la vie, tu as été errante et solitaire, maintenant tu auras un compagnon, et c'est Moi Jésus, ton Époux, ton ami auquel tu as tout sacrifié qui sera ce compagnon qui doit te combler de joie dans les siècles des siècles[96]. »

L'Esprit de l'incarnation triomphe là où, pour nous, la folie de l'idéalisation ou de la révolte désespérée – la feinte ou le découragement dans la nuit, aux portes de la mort – semble guetter.

> « Je me demande comment le bon Dieu peut se retenir longtemps de me prendre...
> ... Et puis, on dirait qu'il veut me faire "accroire" qu'il n'y a pas de Ciel !...
> ... Et tous les saints que j'aime tant, où sont-ils donc "nichés" ?...

---

95. OC, p. 1018, « Le carnet jaune », 22 juin 1897.
96. OC, p. 488 (à Céline, mars ou mai 1894).

... Ah ! je ne *feins* pas, c'est bien vrai que je n'y vois goutte.
Mais enfin, il faut que je chante bien fort dans mon cœur :
"Après la mort, la vie est immortelle"
ou bien sans ça, ça tournerait mal [97]... »

---

97. OC, p. 1092, « Le carnet jaune », 15 août 1897.

Le « rien » jeté dans le feu de l'amour

Ben Sirac le Sage incite à prier pour et avec ceux qui sont dans la détresse, afin de ne pas ressembler à *l'homme qui est l'ami pour partager les repas, mais qui ne reste pas avec son ami au jour de sa détresse*[98].

Consentir à ce mouvement du cœur qui nous rend présent l'ami, proche ou lointain, à son insu, sans même que nous le voulions explicitement, c'est rester présent – sous le regard de Dieu – au cœur de sa détresse. Quand il en est ainsi, c'est Dieu lui-même qui met l'ami en moi. Lorsqu'il va mieux, en effet, il n'y est plus. Je n'y pense plus. Par là, Dieu qui est en moi se le rend présent.

De la prière cela ? Si l'on veut. *Un petit rien*, dirait Thérèse, une sorte de dénuement partagé qui traverse l'opacité de la douleur, justement parce qu'il n'est rien.

---

98. Bible de Jérusalem, Le Livre du Siracide, 6, 10.

Être atteint par la morsure désespérante qu'un autre éprouve, c'est se retrouver avec lui dans sa prison ou dans l'errance du désert. *Ce petit rien* entretient la vie de l'Esprit ou, du moins, il en est le signe. Ce *rien*, ce *zéro* peut même démultiplier cette vie... selon la place qu'il occupe.

> « En attendant cette bienheureuse éternité, qui dans peu de temps s'ouvrira pour nous, puisque la vie n'est qu'un jour, travaillons ensemble au salut des âmes ; moi je puis faire bien peu de chose, ou plutôt absolument rien si j'étais seule, ce qui me console c'est de penser qu'à vos côtés je puis servir à quelque chose ; en effet le zéro par lui-même n'a pas de valeur, mais placé près de l'unité il devient puissant, pourvu toutefois qu'il se mette du *bon côté*, après et non pas avant !... C'est bien là que Jésus m'a placée et j'espère y rester toujours, en vous suivant de loin, par la prière et le sacrifice [99]. »

L'espérance se ravive dans la charité du dénuement partagé du pur amour. Ne dit-il pas, ce *rien*, ce rien de vie, ce don de rien... que *tout* lui *manque* ? Un flash de détresse infuse une douleur aiguë en nous à l'endroit même où nous sentons que l'autre ne sent plus rien, qu'il est anéanti à la source même du désir. Là, le *manque* indicateur de l'Autre manque. Nous sommes envahis par le vide, la honte, l'agressivité ou la douleur. Et, faute de « sentir la force de la chaleur de l'amour » – par notre faute peut-être –, nous ne cherchons même

---

99. OC, p. 590 (au P. Roulland, 9 mai 1897).

plus à l'entretenir. Et même nous refusons de jeter dans la cendre apparemment sans braise de son foyer la moindre paille pour qu'y reprenne le feu que Dieu seul éclaire. Nous vivons alors de récriminations, de colères, de supercheries et de feintes..., mais notre cœur est déjà froid et dur. Nous ne voulons même plus donner le témoignage que la vie affleure – affleurement du pétale – en nous : nous n'entretenons en *rien* le feu de l'amour, nous refusons même d'y laisser brûler le mensonge. Alors que je travaillais sur ce texte, j'ai entendu d'un homme ces mots : à la place des pétales de vie et de vérité que Thérèse offre au feu de l'amour qui s'éteint, il est question d'un refus de naître et de pétales de mort et de mensonge que *même flétris, il veut garder* !

« ... J'ai l'impression
que la traversée de *ma nuit* va durer très longtemps.
J'appelle *ma nuit*
cette zone que je ressens comme obscure,
confuse et sans trouver les mots,
ce mal être, ce malaise, sans rien pouvoir cerner.
La traversée de *ma nuit*, c'est assez juste,
parce que, en plus, je suis attiré par le soleil.
Je n'ai jamais tant dormi !

DV. C'est la nuit.

C'est la nuit...
Dès que je suis dans la difficulté, je m'endors.
Devant la difficulté, mon premier réflexe, c'est de dormir.
Après, on verra... y en a qui se shootent,

moi je m'endors, après on verra.
La relative lucidité, je ne la trouve qu'après.
Il faut tout d'abord que je fasse cette plongée.
De toute la séance d'aujourd'hui, le seul mot juste,
c'est la traversée de ma nuit...
la nuit qui me protège et qui m'empêche de voir clair...
elle me protège,
elle me maintient dans un statut fœtal,
dans *mon* état.

DV. C'est équivalent à ne pas vouloir naître à la vie et à
ne pas naître à la vérité.

Pour une fois, je suis d'accord avec vous !
Je pense au buisson ardent,
je n'ai pas envie de naître,
et, naître à nouveau, je ne peux pas.
J'ai le sentiment que le purgatoire,
c'est ça... en ce moment...
les pétales de mensonge qui tombent...
qui ne tombent pas plutôt !
Même flétris, je veux les garder ! »

Dans la communion des saints, ceux que Dieu nous
donne à rejoindre brûlent de la même vie que son Fils.
Et le plus petit mouvement d'*amour* envers lui rouvre
un passage vers Dieu. Le dénuement de l'ami pour
l'ami, du fils pour la mère, du mari pour la femme ou
de la carmélite pour l'assassin, indique cette souffrance
d'amour de celui qui ne peut rien faire que ce petit
« rien »... qui fait plaisir à Jésus et, par là, acquiert une
valeur infinie : ce rien d'amour devient l'amour, car le

plus petit mouvement de *pur amour* lui est plus utile (à l'Église) que toutes les autres œuvres réunies ensemble [100]. Ces petits *riens* sont *la pluie embaumée des pétales de fleurs* dont il a déjà été question :

> « Jésus, à quoi te serviront mes fleurs et mes chants ?... Ah ! je le sais bien, cette pluie embaumée, ces pétales fragiles et sans aucune valeur, ces chants d'amour du plus petit des cœurs te charmeront, oui, ces riens te feront plaisir, ils feront sourire l'Église Triomphante, elle recueillera mes fleurs effeuillées *par amour* et les faisant passer par tes Divines Mains, ô Jésus, cette Église du Ciel, voulant *jouer* avec son petit enfant, jettera elle aussi, *ces fleurs* ayant acquis par ton attouchement divin une valeur infinie, elle les jettera sur l'Église souffrante afin d'en éteindre les flammes, elle les jettera sur l'Église combattante afin de lui faire remporter la victoire [101] !... »

C'est aussi la manière de laisser Dieu seul agir, là où l'homme devient étranger à ce qu'il ressent, où il n'éprouve plus rien, où il est tenté de s'obstiner à maîtriser la vie alors qu'il est déjà dans le froid de la mort, dans la nuit du mutisme. Comme Thérèse, l'homme ne sait plus ce que parler veut dire, et si seulement il aime ou même s'il prie. Mais Thérèse, elle, ne désespère pas :

---

100. OC, p. 228 ; MA, p. 231. Mot de St Jean de la Croix, *Cantique spirituel,* str. XXIX, que Thérèse cite plusieurs fois (*cf.* la « Prière » 12 et les lettres 221 et 245, OC, p. 577 et 601).
101. OC, p. 228 ; MA, p. 229.

« Mais j'ai eu une lumière. Ste Thérèse dit qu'il faut entretenir l'amour. Le *bois* ne se trouve pas à notre portée quand nous sommes dans les ténèbres, dans les sécheresses, mais du moins ne sommes-nous pas obligées d'y jeter de petites pailles ? Jésus est bien assez puissant pour entretenir seul le feu, cependant il est content de nous y voir mettre un peu d'aliment, c'est une *délicatesse* qui lui fait plaisir et alors Il jette dans le feu beaucoup de bois, nous ne le voyons pas mais nous sentons *la force* et la chaleur de l'amour. J'en ai fait l'expérience quand je ne *sens* rien, que je suis INCAPABLE de *prier*, de pratiquer la vertu, c'est alors le moment de chercher de petites occasions, des *riens* qui font plaisir, plus de plaisir à Jésus que l'empire du monde ou même que le martyre souffert généreusement, par exemple, un sourire, une parole aimable alors que j'aurais envie de ne rien dire ou d'avoir l'air ennuyé, etc., etc.

[...] Quand je n'ai pas d'occasions je veux au moins Lui dire que je l'aime, ce n'est pas difficile et cela entretient *le feu, quand même* il me semblerait qu'il serait éteint, ce feu d'amour, je voudrais y jeter quelque chose et Jésus saurait bien alors le rallumer [102]. »

Ce petit rien de la compassion, telle est la paille thérésienne jetée depuis les ténèbres du dénuement dans le feu d'un amour qui n'a même pas besoin de cela pour brûler. Une paille que Dieu enflamme d'un feu invisible qui fait fondre le noyau dur de l'orgueil affolé par une souffrance d'enfant faussement maîtrisée... Faute d'avoir pu, à cause de la maîtrise orgueilleuse ou

---

102. OC, p. 466-467 (à Céline, 18 juillet 1893).

de la complaisance en soi-même, se répandre dans les bras et dans le cœur d'un père afin d'y retrouver la source de la vie reçue dès que donnée et donnée dès que reçue... Les effets de séduction ou de retrait, de colère ou de déception n'alimentent pas le feu du désir. Ils attisent de manière répétitive celui du désespoir qui s'empare du cœur de l'homme quand il découvre son impuissance à satisfaire à la Loi quand bien même il s'offre lui-même en victime. Thérèse trouve sa place non pas dans cette offrande d'elle-même en victime à la justice, mais en s'offrant en holocauste à l'Amour. Là est sa place, et c'est à la lumière de l'amour qu'elle conduit son navire.

> « Oui j'ai trouvé ma place, dans l'Église et cette place, ô mon Dieu, c'est vous qui me l'avez donnée... dans le Cœur de l'Église, ma Mère, je serai l'Amour... Ainsi je serai tout... ainsi mon rêve sera réalisé ! ! !...
> Pourquoi parler d'une joie délirante, non cette expression n'est pas juste, c'est plutôt la paix calme et sereine du navigateur apercevant le phare qui doit le conduire au port... Ô Phare lumineux de l'amour, je sais comment arriver jusqu'à toi, j'ai trouvé le secret de m'approprier ta flamme [103]. »

---

103. OC, p. 226 : « "La vie est ton navire et non pas ta demeure ! ..." Toute petite ces paroles me rendaient le courage, maintenant encore, malgré les années qui font disparaître tant d'impressions de piété enfantine, l'image du navire charme encore mon âme et lui aide à supporter l'exil... La Sagesse aussi ne dit-elle pas que "La vie est comme le vaisseau qui fend les flots agités et ne laisse après lui aucune trace de son passage rapide"?... Quand je pense à ces choses, mon âme se plonge dans l'infini, il me semble déjà toucher le rivage éternel... Il me semble recevoir les embrassements de Jésus... » (OC, p. 135 ; MA, p. 106)

Retrouver la source de la vie, c'est satisfaire la justice divine non pas en s'offrant comme victime que réclame la loi, mais en brûlant d'amour.

« Pour satisfaire la *Justice* Divine il fallait des victimes parfaites, mais à la loi de crainte a succédé la loi d'Amour, et l'Amour m'a choisie pour holocauste, moi, faible et imparfaite créature... Ce choix n'est-il pas digne de l'Amour?... Oui, pour que l'Amour soit pleinement satisfait, il faut qu'il s'abaisse, qu'il s'abaisse jusqu'au néant et qu'il transforme en *feu* ce néant [104]... »

104. OC, p. 226 ; MA, p. 227.

La vérité du désir

Quel étonnement de découvrir dans le parcours de la « petite Thérèse »[105] cette traversée purifiante du narcissisme par un amour qu'aucune jouissance ne retient en soi-même, pas même celle de la souffrance qu'il procure. Un amour qui n'a sa source, en elle, qu'en Dieu qui l'attire en lui.

A travers toutes les métaphores que Thérèse emploie, elle *témoigne* non d'elle-même, mais *du désir essentiel,* inconscient, *dont elle vit* — dont l'homme vit en vérité : elle brûle d'un amour dont elle ne jouit pas, mais qui la dévore tout entière comme un feu. L'amour brûlant ne se paie qu'en brûlant d'amour.

« Ô Jésus, je le sais, l'amour ne se paie que par l'amour, aussi j'ai cherché, j'ai trouvé le moyen de soulager mon cœur en te rendant Amour pour Amour[106]. »

---

105. OC, p. 1191 (témoignage anonyme) : « Vous m'appellerez *petite* Thérèse. »
106. OC, p. 227 ; MA, p. 227.

L'Amour Réel est l'amour impossible à éprouver. Aucune réalité n'est à la mesure du Réel qui est sans mesure. Comme le Réel, l'Amour est impossible. Il est désiré en nous comme l'au-delà de toute limite. Aux sens qui veulent l'éprouver, il échappe et les plonge dans l'illusion ou dans la ténèbre. Comment pressentir le monde nouveau alors que personne ne l'a jamais imaginé ? Avec la tentative de s'y risquer, ce sont les brouillards qui s'infiltrent dans l'âme et avec eux, à la lumière rêvée se substitue la nuit du néant, à la vérité du désir, le sarcasme de la dérision, à la Sagesse, la folie [107].

Le monde nouveau est perdu et il échappe à celui qui désire y pénétrer : il ne peut en jouir en le possédant. Il ne peut en jouir que par Amour. Il est consumé de désir pour lui et non comblé. En être comblé serait rabattre le Désiré aux dimensions du cœur de la créature. Désirer le réel de l'Amour, c'est mourir de désir, s'offrir en victime, consentir au martyre. Thérèse le dit dès la première page du manuscrit B :

> « Il est impossible à la parole humaine de redire des choses que le cœur humain peut à peine pressentir [108]...
> Je comprends si bien qu'il n'y a que l'amour qui puisse nous rendre agréables au Bon Dieu que cet amour est le seul bien que j'ambitionne. Jésus se plaît à me montrer l'unique chemin qui conduit à cette fournaise divine, ce chemin c'est l'*abandon* du petit enfant qui s'endort sans

---

107. OC, p. 243 ; MA, p. 247.
108. OC, p. 219 ; MA, p. 218.

crainte dans les bras de son Père… "Si quelqu'un est *tout petit* qu'il vienne à moi" a dit l'Esprit Saint par la bouche de Salomon et ce même Esprit d'Amour a dit encore que "La miséricorde est accordée aux petits" [109]. »

Il n'est pas question d'en être narcissiquement content ou satisfait. Il ne se donne pas pour faire valoir celui à qui il se donne ou celui qui le donne : il est le don réel de la Vie parce qu'il est la Vie et non parce qu'il se ferait reconnaître comme une récompense ou comme ce qui distingue hiérarchiquement celui qui le donne de celui qui le reçoit selon la mesure ou la manière dont il est reçu ou donné [110]. L'amour réel n'est pas à la mesure de l'amour-propre.

En lui, il n'y a ni premier, ni dernier !

« Ô mon Jésus ! Je t'aime, j'aime l'Église ma Mère, je me souviens que : "Le plus petit mouvement du *pur amour* lui est plus utile que toutes les autres œuvres réunies ensemble" mais le *pur amour est-il bien* dans mon cœur ?… Mes immenses désirs ne sont-ils pas un rêve, une folie ?… Ah ! s'il en est ainsi, Jésus éclaire-moi, tu le sais je cherche la vérité… si mes désirs sont téméraires, fais-les disparaître car ces désirs sont pour moi le plus grand des martyres…

---

109. OC, p. 220 ; MA, p. 218.
110. OC, p. 272 : « J'ai remarqué (et c'est tout naturel) que les sœurs les plus saintes sont les plus aimées, on recherche leur conversation, on leur rend des services sans qu'elles les demandent, enfin ces âmes capables de supporter des manques d'égards, de délicatesses, se voient entourées de l'affection de toutes. On peut leur appliquer cette parole de notre Père St Jean de la Croix : "Tous les biens m'ont été donnés quand je ne les ai plus recherchés par amour-propre". »

Cependant, je le sens, ô Jésus, après avoir aspiré vers les régions les plus élevées de l'Amour, s'il me faut ne pas les atteindre un jour, j'aurais goûté plus de *douceur dans mon martyre, dans ma folie*, que je n'en goûterai au sein des *joies de la patrie*, à moins que par un miracle tu ne m'enlèves le souvenir de mes espérances terrestres. Alors laisse-moi jouir pendant mon exil des délices de l'amour. Laisse-moi savourer les douces amertumes de mon martyre...
Jésus, Jésus, s'il est si délicieux le *désir* de *t'aimer*, qu'est-ce donc de posséder, de jouir de l'Amour [111] ?...
[...]
C'est alors le moment de la *joie parfaite* pour le *pauvre petit être* faible. Quel bonheur pour lui de rester là quand même, de fixer l'invisible lumière qui se dérobe à sa foi [112] !!!... »

Avec Thérèse de l'Enfant-Jésus et de la Sainte-Face, l'Amour se révèle en nous et au milieu de nous comme le Fils promis à l'Humanité tout entière, le don de Dieu. Il est pour nous ! Afin que — comme elle — nous vivions de Lui pour la plus grande gloire de Dieu et le salut de tous les hommes.

---

111. OC, p. 229 ; MA, p. 230.
112. OC, p. 230 ; MA, p. 231.

Table

RÉALISATION : ALPHA PRESSE À PARIS
IMPRESSION : NORMANDIE ROTO IMPRESSION S.A. À LONRAI
DÉPÔT LÉGAL MAI 1998. N° 34552 (980857)